Mika

FÉVRI

Gilles

Un escargot
sur la main

Illustration
Sarah Chamaillard

Ados mystère

Éditions du Phœnix

ystère

© **2009 Éditions du Phœnix**
Dépôt légal, 2009

Imprimé au Canada

Illustration de la couverture : Sarah Chamaillard
Graphisme de la couverture : Guadalupe Trejo
Graphisme de l'intérieur : Hélène Meunier
Révision linguistique : Hélène Bard

Éditions du Phœnix
206, rue Laurier
L'île Bizard (Montréal)
(Québec) Canada H9C 2W9
Tél.: (514) 696-7381   Téléc.: (514) 696-7685
www.editionsduphoenix.com

**Catalogage avant publication de Bibliothèque et Archives
nationales du Québec et Bibliothèque et Archives Canada**

Gemme, Gilles, 1942-

   Escouade 06 : un escargot sur la main

   (Collection Ados mystère ; 3)
   Pour les jeunes de 12 ans et plus.

   ISBN 978-2-923425-86-3

   I. Chamaillard, Sarah. II. Titre. III. Collection: Collection
Ados mystère ; 3.

PS8563.E5E822 2009   jC843'.54   C2009-940688-8
PS9563.E5E822 2009

Éditions du Phœnix remercient la SODEC
pour l'aideaccordée à leur programme de publication.
Nous reconnaissons l'aide financière
du gouvernement du Canada par l'entremise
du Programme d'aide au développement de l'industrie
de l'édition (PADIÉ) pour nos activités d'édition.

Gilles Gemme

Un escargot sur la main

À Mikael
Bonne lecture
et merci beaucoup.

Gilles Gemme
Février 2012

Éditions du Phœnix

Du même auteur,

Escouade 06 Une semaine de fou !

Du même auteur, chez d'autres éditeurs :

En plein hiver des mannes à plein ciel

Le cœur absent

1

Aéroport
Montréal-Trudeau

— Caroline, où vas-tu ? demanda Alex, qui avait peine à suivre la jeune fille.

Lorsque son amie avait une idée en tête, elle s'y mettait tout de suite.

— On n'a pas le temps d'aller magasiner, on vient d'annoncer l'embarquement des passagers pour les sièges soixante à quatre-vingt-dix.

Trop tard, elle était déjà à l'entrée de la boutique hors taxes.

— Tiens ça, j'en ai pour une petite minute.

— Mais ce n'est pas sérieux, Caro.

— Une petite minute, une toute petite minute !

Un rapide baiser sur le nez et elle lui avait déjà remis son sac, le tout en lui adressant un sourire, celui-là même qu'il aimait tant.

Inutile de dire qu'Alex se faisait beaucoup de mauvais sang. Son premier voyage en avion. Et à Paris, en plus...

Pour la seconde fois, les haut-parleurs annonçaient aux voyageurs de se présenter pour l'embarquement. Après de longues minutes, Caroline revint, tenant avec fierté un petit escargot de latex dans sa main droite.

— Il est mignon, tu ne trouves pas avec sa carapace bleue et ses petites antennes jaunes ? J'avais besoin d'un porte-clés et celui-là, quand je l'ai vu dans la vitrine...

Alex ne la laissa pas terminer.

— Viens. Ça fait deux fois qu'on nous appelle.

— Ne t'inquiète pas, l'avion ne partira pas sans nous, répondit-elle sur un ton léger, tout en caressant son petit escargot qui lui faisait de drôles de petits yeux.

Les deux passagers empruntèrent au pas de course l'interminable corridor qui menait jusqu'à la passerelle d'embarquement de l'appareil. Caroline prit les devants, comme une habituée ; Alex, une expression soucieuse sur le visage, traînait les sacs de voyage : délicatesse et amour obligent.

Les parents de Caroline avaient eu l'idée de ce voyage en France pour souligner l'excellent esprit d'initiative des deux adolescents. Caroline et Alex séjourneraient trois semaines à Paris chez les grands-parents de la jeune fille, rue Beaubourg, près de la rue Rambuteau, face au Centre Pompidou.

C'était la troisième visite de Caroline chez ses grands-parents. La première fois, la jeune fille avait huit ans ; c'était à l'occasion d'un voyage d'affaires avec son père. Puis, quatre ans plus tard, elle s'y était rendue toute seule. Une hôtesse de l'air l'avait prise en charge à Montréal, même si elle était persuadée qu'elle pouvait fort bien se débrouiller comme une grande.

Ce qui était loin d'être le cas d'Alex... Il se souvenait de quelques voyages à Plattsburgh avec la vieille Honda — qui n'avait rien d'une voiture de luxe —, où toute la famille s'entassait. Mais le génie de Jacques Boisvert faisait toujours en sorte que chaque centimètre carré soit utilisé.

Les sacs de voyage étaient inventés depuis longtemps, mais le père d'Alex avait créé, lui, « la voiture de voyage » en installant un peu partout de petits sacs à glissières très pratiques.

Sa femme Francine ne comprenait pas très bien le sens de cette installation. Par conséquent, elle remplissait chacune de ces pochettes sans tenir compte de l'inscription sur l'étiquette, pourtant très visible. Ainsi, un saucisson ou un fromage pouvait se retrouver avec la trousse de survie — le père d'Alex était très prévoyant — et le pain avec le cric supplémentaire ou les outils nécessaires à la survie de la Honda. Bref, il valait mieux ne pas être pressé lorsqu'en cours de route, un membre de la famille décidait de prendre une collation. À coup sûr, il fallait regarder dans toutes les pochettes. Et, quand un fromage était trouvé à l'endroit où se trouvait une clé anglaise, Jacques Boisvert souriait à sa femme en prenant soin de retirer ses lunettes pour les empêcher de tressauter sur l'imposant nez qu'elles chevauchaient.

Son père avait aussi conçu une vraie petite navette spatiale sur laquelle les vélos étaient retenus par une sorte de bras canadien mal articulé... D'ailleurs, la pose des bicyclettes sur l'armature était toujours précédée des avertissements du concepteur.

— Attention, un seul vélo à la fois. Non, Frédéric, pas comme ça !

— Mais je fais comme tu me le dis !

— Non, tu es trop brusque, tu vas tout casser.

— Si je casse ton support en installant les vélos, je ne suis pas sûr qu'ils seront encore là, rendus à Plattsburgh.

— C'est ça, niaise ton père. Tu apprendras que ce système est très ingénieux.

— C'est toi qui le dis...

L'installation des bicyclettes sur le toit de la Honda finissait par un affrontement entre Frédéric, le frère aîné d'Alex, et son père. Mais pour Jacques Boisvert, il importait que le plus vieux de ses fils participe aux préparatifs du départ.

Après des expéditions aussi hasardeuses, Alex avait trouvé l'idée d'un voyage à Paris très intéressante et sûrement plus reposante. Surtout avec Caroline.

Les parents de Caroline leur avaient offert ce voyage pour saluer l'acte d'héroïsme dont ils avaient fait preuve quelques mois plus tôt. Et la formule n'était pas trop forte puisqu'ils avaient contribué à démanteler un réseau de criminels avec leur ami policier, le sergent Raymond Quintal, affecté à l'escouade de protection de la jeunesse, l'escouade 06[1]. Les élèves de l'école avaient été unanimes : il avait fallu beaucoup de flair et de cran pour réaliser un tel exploit. Le corps policier et la direction de l'établissement scolaire leur avaient remis des certificats de bravoure en guise de récompense, mais le voyage qu'ils entreprenaient venait de leurs parents respectifs. En fait, c'étaient le père et la mère de Caroline qui avaient insisté pour leur offrir ce périple. Ils n'étaient pas sans savoir que ceux d'Alex, de condition modeste, ne pouvaient pas contribuer financièrement à cette aventure. Le plus important, pour Alex, c'était que ses parents aient donné leur accord sans être blessés dans leur orgueil. Ils avaient également été sensibles à la complicité amoureuse qui unissait leur fils à son amie Caro.

---

[1] *Escouade 06 : Une semaine de fou !*, Éditions du Phoenix, 2007.

Depuis son arrivée à l'aéroport, Francine Boisvert se séchait les yeux avec un petit mouchoir brodé, hérité de sa grand-mère. Son mari, lui, donnait des poignées de main à tout le monde, même aux employés d'Air France... Alors qu'il parlait avec Michel de Grandmaison, le père de Caroline, il faisait danser ses lunettes de façon inquiétante.

Les pommettes qui ornaient son visage pourtant maigre étaient agitées par des tics qui projetaient ses montures en tous sens. Malgré toutes ces années et les nombreuses paires perdues, il n'avait pas encore compris qu'il aurait dû acheter des lunettes moins grandes.

Mais il aimait tout voir... Ne rien manquer et être confortable... Une vision parfaite de cent quatre-vingts degrés, de gauche à droite et de haut en bas, semblait être son but principal dans la vie. Et il n'était pas question qu'il adopte des lentilles de contact. Une béquille restait une béquille. Il fallait l'assumer, non la camoufler. Jacques Boisvert se voulait très respectueux de la nature... Corriger un défaut, ça allait. Mais le masquer, c'était inconcevable. « On est comme on est, » se plaisait-il à répéter.

— Je n'en reviens toujours pas de la bravoure d'Alex, dit Michel de Grandmaison. Caroline ne cesse de me répéter comment il a mené cette affaire. Malheureusement, j'étais en voyage et il m'a été impossible de fêter cet événement avec vous. Aujourd'hui, je me rachète. Et je suis fier qu'Alex accompagne ma fille en France.

— Papa, je n'ai pas besoin d'un chevalier.

— C'est ça ! Affirme que d'Artagnan ne fut utile à personne ! Beaucoup de femmes, Anne d'Autriche en particulier, lui furent reconnaissantes de sa fidélité et de son zèle infaillible et efficace, expliqua le père du haut de sa grandeur magnanime. Mais ne sois pas téméraire, mon cher Alex, ajouta-t-il en le prenant par les épaules.

— Mais papa, il ne faut pas...

— Exagérer... tu veux dire ? Non, ma fille. Avec Alex, tu pars heureuse et, moi, je reste ici, l'esprit en paix, précisa-t-il avec un sourire que seul un père attentionné peut avoir.

À la suite de cette intervention de Michel de Grandmaison, Alex se sentit vraiment comme d'Artagnan : pas assez grand, mal préparé pour cette aventure et incapable de prévoir les dangers que sa petite amie aurait à affronter. Il se sentait cependant animé de l'intrépidité du Gascon, héros d'Alexandre Dumas. Le sourire du père de Caroline lui fit d'ailleurs comprendre que celui-ci ne s'attendait pas à le voir jouer les preux chevaliers.

Juste avant de passer les contrôles, Jacques donna l'accolade à son fils — un témoignage de sentiments qui surprit Alex — tout en continuant de saluer les employés des douanes. Francine, entre deux coups de mouchoir sous les yeux, embrassa son fils. Après vingt-quatre mois de légumes, de petits pois et surtout de haricots, elle avait enfin retrouvé sa taille de jeune fille, ce qui n'était pas pour déplaire à son grand Jacques. De leur côté, Charlotte et Michel de Grandmaison avaient l'air de deux amoureux, ce dont Caroline était particulièrement fière. Conscients que leur fille avait très hâte d'entreprendre ce voyage, ils la poussèrent vers les agents chargés du contrôle des passagers. Les parents d'Alex les imitèrent. Jacques et Michel tenaient leur femme respective par la taille, pendant que leurs enfants s'éloignaient. Caroline allait enfin retrouver son papy de France, celui-là même qui lui téléphonait chaque semaine, sans jamais en sauter une, et ce, depuis toujours.

Main dans la main, les deux adolescents disparurent derrière le mur où l'on allait contrôler leurs bagages.

Lorsqu'ils entrèrent dans l'avion, un agent de bord leur indiqua leurs sièges, puis les invita à placer leurs sacs dans les compartiments au-dessus d'eux. Alex s'empressa d'obéir, pendant que Caroline, déjà installée, jouait avec son petit escargot. Encore une fois, l'adolescent constata qu'il n'avait pas tellement grandi depuis sa rencontre avec la jeune fille. Une hôtesse vint l'aider à refermer la porte de cette espèce de placard aérien. Il remercia le ciel que Caro ne s'en soit pas aperçu. Confortablement installée, elle caressait son porte-clés, les yeux fermés. Alex se glissa lentement dans son fauteuil, non seulement pour éviter d'importuner son amie, mais surtout pour cacher ses appréhensions quant au décollage. Après un voyage de plusieurs heures s'ensuivrait l'atterrissage de l'avion sur un autre continent, ce qui ne lui apparaissait pas comme étant plus rassurant.

Caroline dormit tout le long du voyage, la tête appuyée sur l'épaule d'Alex. Lui ne ferma pas l'œil, trop occupé à protéger le sommeil de son amie et à écouter le ronronnement des moteurs afin d'en analyser chaque bruit. Lorsque l'avion passa au travers de zones de turbulences, il eut l'impression de se trouver dans un train qui avait quitté ses rails pour poursuivre sa route sur les cailloux. Il chercha alors l'hôtesse des yeux. Cette dernière restait impassible et continuait à vaquer à ses occupations, comme si de rien n'était. Il se dit donc que tout devait être normal...

2

Aéroport Paris-Charles-de-Gaulle

Il était environ huit heures lorsque l'avion atterrit à l'aéroport Paris-Charles-de-Gaulle. Alex réveilla Caroline.

— Caro, Caro, regarde comme c'est beau ! dit-il en la secouant comme s'il y avait une urgence.

— Qu'est-ce qui est beau ? demanda-t-elle tout endormie.

— Mais tous ces avions. Et Paris !

— Pour ce qui est des avions, c'est normal, nous venons d'atterrir dans un aéroport international, répondit-elle en déposant un baiser chaud sur sa joue. Quant à Paris, nous n'y sommes pas encore...

— J'ai pris la liberté de dire à l'hôtesse que tu ne voulais pas de petit déjeuner, pour te laisser dormir, tu comprends ?

Il était heureux d'avoir utilisé une expression typiquement française : petit déjeuner... Au Québec, on dit déjeuner, dîner et souper. Il était si résolu à ne pas commettre cet impair qu'il avait dit ça tout de go. Il se demandait si c'était aussi facile de devenir un Français lorsque Caroline revint à la vie.

— Et qu'as-tu fait durant le voyage ? demanda-t-elle. Je parie que, comme d'Artagnan, tu m'as regardée dormir... Dis que c'est ça... chuchota-t-elle en faisant une charmante moue. Sinon, je serai déçue, avait-elle ensuite ajouté.

— Euh ! Ben ! Je... bredouilla-t-il, embarrassé par les yeux de Caro, d'un vert si intense.

Tout à fait réveillée, Caro vint à sa rescousse.

— Je te fais marcher, dit-elle en accompagnant cette phrase d'un baiser et d'un grand sourire. Donc, lorsque tu ne me regardais pas, que faisais-tu ? À quoi pensais-tu ?

— J'ai vu l'Angleterre. Le Royaume-Uni vu de très haut, c'était comme dans un livre de géographie. Ensuite, l'avion a penché un peu du côté gauche et là nous avons traversé la mer, mais une mer pas très large.

— La Manche, dit Caroline tout en s'appliquant une couche respectable de rouge à lèvres rose.

— Je le sais, j'ai regardé la télé de l'avion. C'est magnifique ! On voit l'appareil survoler les pays, et toutes les corrections de vol effectuées par le pilote. Merveilleux ! Fantastique !

— Plus que moi ? lança-t-elle avec un air mi-offusqué, mi-rieur...

— Mais non, dit-il, mais c'est la première fois que je vois la Terre se rapprocher de moi !

S'apercevant que Caroline se moquait de lui, il lui sourit avec tendresse, puis continua de s'intéresser au chemin que l'avion devait emprunter pour se rendre au débarcadère. Toute son admiration allait au pilote, lui qui avait de la peine à reculer la vieille Honda de son père pour la laver... C'était décidé, il serait aviateur !

Ils ramassèrent leurs affaires après une vérification rapide sous les coussins et les couvertures afin d'être parmi les premiers arrivés à la douane.

C'est avec le sourire que l'officier les reçut, fait surprenant pour un douanier. Il est vrai que deux jeunes de quinze ans, dont l'une a la nationalité française, ne doivent pas représenter un grand danger. Une fois cette corvée terminée, Caroline annonça à Alex qu'elle devait aller aux toilettes, histoire de se refaire une beauté. Elle disparut avec un gros sac ressemblant à une besace qu'elle portait en bandoulière. Il avait remarqué que son amie était de plus en plus coquette et ce n'était pas pour lui déplaire.

C'est dans ces toilettes remplies de femmes de toutes nationalités qu'elle se rendit compte que son petit sac à main, dans lequel elle avait rangé ses objets personnels, mais aussi son argent, ses cartes d'identité, ainsi que des photos pour ses grands-parents et son petit escargot, n'était plus en sa possession.

Elle revint vers son ami, énervée et au désespoir. Par chance, elle avait son passeport, mais aucun autre papier d'identité ni assurance. Perdu aussi l'argent que le père d'Alex leur avait remis en cachette de sa femme juste avant le départ, et qu'Alex lui avait confié, faute de place dans ses poches. C'est lui qui, cependant, eut l'idée d'aller s'informer aux objets perdus.

Surexcitée, Caroline expliquait sa mésa-venture à un employé à l'air indolent et un tantinet perdu — sans faire de mauvais jeux de mots — lorsqu'un agent de bord arriva avec le petit fourre-tout, qu'il tenait bien en évidence. Sans aucun doute, compte tenu de la place que Caroline occupait dans l'avion, l'homme savait que ce sac lui appartenait.

— Mademoiselle, mademoiselle ! Je crois que ceci est à vous.

— Quoi ? C'était le seul mot qui lui venait à l'esprit tellement elle était surprise.

— C'est le vôtre, n'est-ce pas ? J'espérais qu'on vous avait transmis le message que j'ai envoyé depuis l'avion. J'ai dû demander une permission spéciale au capitaine, puisque l'avion repart dans quelques minutes. Et la douane et tout... Mais je suis heureux de pouvoir vous le remettre. Vous savez, ma fille voyage actuellement en Australie en compagnie d'une amie. Elles sont seules pour la première fois à l'étranger et j'ai pensé que c'était la même chose pour...

Caroline lui sauta au cou pour arrêter ce flot de paroles, mais surtout pour le remercier. Alex ne fut pas loin de l'imiter. L'agent de bord leur souhaita un bon séjour et s'en retourna d'un pas rapide.

Mais tout n'était pas terminé avec le préposé au bureau des objets perdus. Tout au long de ces effusions de joie, l'employé indolent avait eu le temps de remplir un long formulaire de réclamation. Il fallait maintenant en remplir un autre afin de déclarer que le sac et son contenu avaient été retrouvés. En trois exemplaires. Cocher. Signer. Sortir de nouveau son passeport que l'agent montra à un autre préposé tout aussi lymphatique. Caroline était exaspérée. Alex s'efforça de la calmer de son mieux. Depuis quelques mois, il avait remarqué que son amie avait de plus en plus de caractère, ce qui n'était pas non plus pour lui déplaire, lui qui avait tendance à s'effacer dans certaines circonstances.

Enfin, ils furent libres de quitter ce comptoir pour aller récupérer le reste de leurs affaires. Bien entendu, tous les passagers de l'avion étaient maintenant massés devant le carrousel à bagages. Ils essayèrent de se frayer un chemin pour mieux voir. Impossible. Ne reculant devant rien, Caroline monta sur les épaules d'Alex pour l'aider à distinguer leurs valises parmi cet ensemble hétéroclite de voyageurs qui, sans relâche, défilaient devant leurs yeux. Comme si cette mer humaine, dont chaque composante avait une coiffure différente, un poil différent, un teint différent, un vête-ment différent, une attitude différente, avait décidé de se choisir une vie coffrée et ficelée pour affronter l'aventure.

Caroline lança un cri de victoire qui sur-prit tous les passagers lorsqu'elle aperçut sa valise couverte d'autocollants de toutes sortes et celle d'Alex, d'un vert caca d'oie, bien astiquée par son père avant le départ.

Les gens leur firent tout de suite de la place. Un monsieur d'un certain âge leur prêta même son chariot à bagages, car ils n'avaient pas pensé à ce léger détail. Il les aida aussi à installer leurs affaires, puis leur souhaita la bienvenue au pays des grands écrivains. Les adolescents le remercièrent et Caroline ne put s'empêcher d'ajouter « Moi aussi je serai une grande écrivaine un jour. » C'est avec le sourire que ce gentil monsieur partit lentement en quête d'un autre chariot.

Alex et Caro se dirigèrent vers la sortie d'un pas rapide. Caroline poussait avec force sur la voiturette remplie à pleine capacité. L'adolescent pensa alors qu'elle avait hâte de le présenter à sa famille. Il ne se trompait pas.

En apercevant ses grands-parents, Caroline se précipita dans leurs bras. Hésitant, Alex s'approcha d'eux avec cette cargaison devenue difficile à diriger : une roulette venait de se coincer définitivement. Difficile de faire bonne impression dans ces circonstances. Les embrassades furent longues, très longues pour l'adolescent qui s'occupait à replacer les bagages de façon très digne, bien entendu.

Il la vit embrasser un grand d'environ dix-huit ou dix-neuf ans au teint lumineux et dépourvu d'acné. Un géant sans boutons... Un dénommé Stéphane, qui se tenait debout, les mains dans les poches, près des grands-parents de Caroline. La jalousie s'empara d'Alex. Quelques jours avant de partir, il avait remarqué que son front devenait raboteux. Après une séance de contemplation — façon de parler — devant le miroir de sa chambre, le jeune adolescent avait envisagé sérieusement la possibilité, pour plus tard, d'une greffe de jambes ou, plus probable, de chausser des talons hauts, mais ceux dont la hauteur est camouflée, c'est-à-dire ceux qu'utilisent les handicapés, car il était convaincu de l'être un peu.

Heureusement, ce calvaire ne dura que quelques instants.

— Mamie, papy, je vous présente Alex. C'est mon ami à moi, ajouta-t-elle, le regard brillant, avec toute la tendresse dont elle était capable. Oh ! Mamie s'appelle Alice, et papy, Édouard.

— De Grandmaison, mon cher ami, de Grandmaison, spécifia le papy, de toute évidence fier de son nom.

— Mais c'est aussi mon nom, dit Caroline.

— Je le sais, mais c'est moi le plus vieux, et je revendique le droit de le proclamer en toutes circonstances. Haut et fort.

Et il se mit à rire comme s'il avait fait une bonne blague. D'ailleurs, Édouard considérait que toutes les plaisanteries qu'il faisait étaient irrésistibles. Il était de nature corpulente, et son ventre amplifiait ses rires. Lorsqu'on le rencontrait, c'était d'abord son abdomen qui sautait aux yeux. Sa femme, elle, ressemblait à un lys, grande et altière, au port de tête flamboyant. Elle semblait onduler quand le vent de la conversation l'intimidait ou l'émouvait. Édouard, pour sa part, inspecteur de police à la retraite depuis peu, la main droite appuyée sur le menton comme s'il était constamment en train de réfléchir, semblait toujours maîtriser la situation. Quant à Alice, pour s'occuper, elle avait toujours brodé des nappes avec des lys enchevêtrés. Inspiration qui lui était venue de son prénom ou peut-être aussi en raison des longues nuits à attendre son mari en service. Des merveilles qui lui valaient les félicitations de ses amies et de tout le corps de police auquel appartenait alors son mari.

Les grands-parents écoutèrent avec attention le récit de leur récente aventure et embrassèrent Caroline pour la réconforter. Édouard de Grandmaison en profita pour saluer le travail d'Air France. Le grand sans boutons avait pris le petit escargot des mains de Caroline et s'amusait à la taquiner.

— Tu aurais dû lui acheter une laisse, on

ne sait jamais, il pourrait fuguer !

Phénomène pour le moins étrange, elle riait de ses blagues pourtant banales. « Le voyage va être très long avec cet ostrogoth-là dans les parages ! », se dit Alex.

Il se sentit soulagé d'un poids énorme lorsqu'il apprit que Stéphane retournait en Belgique. Alice et Édouard l'avaient hébergé pendant six mois pour rendre service à son père, un vieil ami du couple. Aujourd'hui, il attendait son frère en provenance d'Afrique avant de retourner chez lui. Stéphane les quitta donc en faisant mine de conserver le petit escargot. Caroline dut courir derrière lui pour le récupérer. Tous rirent de bon cœur, sauf Alex, bien entendu.

Édouard entassa les bagages dans sa Citroën toute neuve. Il n'avait conduit que des Citroën.

— Je suis fidèle à mes voitures autant qu'à ma femme, se plaisait-il à répéter. Ce véhicule est même équipé d'un GPS intégré, l'invention du siècle ! Si le fait d'aller sur la Lune nous a donné cette merveille, ça valait la peine, les enfants. À Paris, c'est magique !

— Et c'est utile, un GPS ? se hasarda à demander Alex.

Inutile de dire que la vieille Honda de son père n'était pas munie d'un tel système de localisation... Il entendait déjà ce dernier se lancer dans une diatribe sans fin : « Une invention du diable, qui augmente le coût d'acquisition d'une voiture et qui laisse peu de place à l'utilisation de notre sens de l'observation ! Tu n'y penses pas ! Un cerveau, ça se développe ! »

Mais il écouta plutôt la réponse d'Édouard :

— Le GPS, mon gars, — au Québec, le sergent Quintal l'appelait mon garçon, ça faisait changement — permet de nous repérer et de trouver le meilleur chemin possible pour nous rendre à destination. Regarde, je le mets en fonction et tu vas voir par où nous devons passer pour se rendre à la maison. Le système de repérage indique même comment contourner des embouteillages ou des travaux. Tout ça parce qu'il est relié à un satellite.

Il ne tarissait pas d'éloges à propos de son nouveau bidule électronique. Aussi appréciait-il déjà ce garçon assis à ses côtés. Les hommes à l'avant et les femmes en arrière, comme il aimait dire sur le ton de la boutade...

Même s'il était encore tôt, circuler dans les rues de Paris ne fut pas de tout repos, et ce, malgré l'aide du GPS. Mais Édouard aimait conduire et surtout commenter tout ce qu'il voyait le long de la route. On aurait dit qu'il connaissait chaque maison, chaque rue. Bien sûr, comme policier, il avait arpenté tous les quartiers de Paris et vécu plein d'aventures. À tel point que chaque ruelle, escalier, ou fenêtre lui rappelait une anecdote. Certaines étaient macabres, mais il s'arrangeait pour les rendre drôles, à sa manière bien entendu. Fatigué par le voyage, Alex s'endormit au grand désespoir d'Édouard qui avait encore plein d'histoires à raconter.

Ils arrivèrent rue Beaubourg une demi-heure plus tard. Alex aida Édouard à apporter les bagages près du petit ascenseur. Alice et Caroline le prirent, emportant les valises, tandis que les hommes empruntaient l'escalier. Édouard disait toujours que c'était aussi rapide de s'y rendre à pied. En effet, ils arrivèrent au troisième palier en même temps ou presque. Édouard sortit un imposant trousseau de clés ; il lui fallait déverrouiller trois serrures pour ouvrir l'énorme porte de bois massif.

— Les enfants, vous allez entrer dans notre coffre-fort. C'est ici que je garde ta grand-mère, ma petite Caro, parce que si je me la faisais voler, je ne m'en remettrais pas.

— Tais-toi donc, grand fou ! répliqua Alice, se rappelant toujours, par cette expression, le temps où son mari était mince.

— Mais mamie, ça doit te faire plaisir d'être considérée comme un bijou précieux, ajouta Caroline.

Édouard en avait enfin terminé avec ses serrures. Il faut dire que l'éclairage du palier était de piètre qualité.

Alice et Édouard restèrent sidérés en entrant dans la salle à manger. Il s'était produit quelque chose en leur absence : les chaises étaient déplacées et le carré de lin brodé par Alice ne se trouvait plus au centre de l'énorme table de chêne. Quelqu'un s'était introduit dans l'appartement. Alice courut à sa chambre, tandis que son mari examinait la porte d'entrée à la recherche d'un indice quelconque, même s'il n'y avait, de toute évidence, aucune trace d'effraction. La mamie revint avec une boîte de bonbons en fer qui, maintenant vide, avait contenu tous ses bijoux. Ses colliers, ses bagues, qu'elle ne portait plus à cause de son arthrite, ainsi que la montre Éterna, un modèle fabriqué en 1947, et qui avait appartenu au frère d'Édouard, décédé il y a quelques années, avaient disparu. Elle ouvrit le grand buffet de la salle à manger. Le sucrier en porcelaine dans lequel elle gardait environ mille euros, malgré l'avis contraire de son mari, était vide lui aussi.

— Les cambrioleurs — le couple supposait qu'ils étaient plusieurs, par expérience sans doute — ne peuvent pas être entrés par la porte, affirma Édouard, toutes les serrures sont en parfait état et il n'y a aucune trace sur le bois.

— Papy, ils ont peut-être pris autre chose que les bijoux et l'argent de mamie.

— Tu as raison ma fille. Allons voir.

— Je peux vous aider ? lança Alex à tout hasard.

Le garçon les suivit dans la petite chambre qui servait maintenant de bureau à Édouard. En pleurs, Alice se laissa tomber dans l'un des gros fauteuils du salon.

— Mon ordinateur portable, lança Édouard, désespéré. Je venais de l'acheter. Et les albums de photos que je gardais dans ce tiroir. Pourquoi les photos ? Qui peut avoir intérêt à voler des photos ?

— Des gens qui vous connaissent, déclara Alex, qui regretta tout de suite son intervention.

— Tu as raison, mon gars. Mais ils doivent connaître aussi ceux qui sont sur les photos et ça nous ramène à la famille. Je ne peux pas croire ça !

Alex fut sur le point d'ajouter : « Pas forcément ! », mais il se tut. Ce n'était ni le temps ni le moment et il ne connaissait pas assez le grand-père de Caro pour entreprendre avec lui une discussion sur le sujet. Il valait mieux attendre le moment propice. Édouard continua d'inspecter les lieux, aidé de Caroline et d'Alex, qui d'ailleurs n'étaient pas d'un grand secours. Un plat en argent, héritage familial, avait aussi disparu, ainsi que le lecteur DVD.

Découragé autant que sa femme, Édouard se rendit dans la cuisine pour se verser un grand verre de scotch, une habitude prise alors qu'il était policier. Quelle ne fut pas sa surprise de voir que la cuisine avait été complètement dévastée. Des assiettes brisées, des couverts sur le sol, des pots de confiture renversés et des dizaines d'escargots partout sur les murs, sur le frigo, sur le sol et sur les chaises.

Alice, Caroline et Alex accoururent lorsqu'ils entendirent Édouard jurer, ce qui n'était pas dans ses habitudes.

Tous furent sidérés tant la petite cuisine était sens dessus dessous. Soudain, Alex sentit quelque chose de froid sur sa main. Il tarda à réagir, certain qu'il s'agissait d'une goutte d'eau venue de la fenêtre grande ouverte, car il avait commencé à pleuvoir. Il avait un escargot sur la main, ses petites antennes dehors, figé par la peur.

3

Escouade 06

Alice, encore sur le coup de l'émotion, aidait tout de même les enfants à s'installer. Caro dormirait dans le bureau de son grand-père. En fait, cette petite pièce servait plus souvent de chambre d'amis que d'endroit pour travailler. Alex, lui, dormirait sur le grand canapé en cuir du salon.

Édouard avait appelé la police. Maintenant, il s'employait à surveiller les escargots. Il ne devait pas les jeter tout de suite à la poubelle, sachant fort bien que la plupart des policiers sont intransigeants quant aux pièces à conviction, même de ce type.

Déjà, certaines de ces bestioles avaient trouvé le chemin des armoires. Édouard faisait tout pour protéger la frontière entre la cuisine et le couloir menant aux chambres.

Difficile de jouer les toréadors face à une armée d'escargots. « Comment des petites bêtes aussi lentes peuvent-elles se retrouver dans des endroits qui, pour elles, représentent ni plus ni moins l'ascension du mont Everest ? » pensa-t-il, lui qui avait toujours eu ce type de mollusque en horreur. Sa femme, lorsqu'elle voulait en manger, allait au restaurant avec ses deux sœurs. Lui, il se joignait au trio lorsqu'elles avaient envie de pizza ou de mets chinois.

Lorsqu'un escargot semblait déterminé à passer la frontière, le papy le lançait dans la confiture qui avait été répandue sur le sol, ce qui avait pour effet de le ralentir dans sa course... Pour une armée, c'était toute une armée. Il n'avait pas encore réussi à dénombrer ses soldats. Édouard se rappela la fois où sa belle-sœur avait fait dégorger des escargots dans une casserole en oubliant de bien la couvrir. Son mari, grand amateur de ces mollusques au beurre à l'ail, avait dû se contenter d'en faire la chasse ce soir-là.

Pendant ce temps, Caroline et Alex causaient à voix basse sur le canapé tout en feignant de regarder la télévision.

— Il faudrait aider papy et mamie, dit Caroline, le regard au loin.

— Je veux bien, mais nous ne connaissons personne à Paris. Dans la police, je veux dire.

— La dernière fois, nous avons mené l'enquête seuls.

— Tu oublies que le sergent Quintal a joué un rôle très important, répliqua le jeune garçon.

— Avoue que tu as peur. Allez, dis-le !

— Mais non, répondit-il, même s'il cherchait une bonne raison pour expliquer son hésitation. Nous n'avons même pas de carte pour nous débrouiller dans la ville.

— Attends, lança-t-elle avec un sourire déterminé. Regarde. Mon père m'a remis ce guide au cas où nous voudrions être libres d'aller et venir dans Paris. Et à la fin du guide, il y a une carte détaillée de la ville. Et ici, toutes les lignes de métro. Qu'en dis-tu ? ajouta-t-elle en lui déposant un baiser sur le nez.

Caroline le fixait d'un regard brillant, prête à se lancer dans une nouvelle aventure.

— J'en dis que je suis d'accord, approuva-t-il en faisant suivre ce dernier mot d'un léger baiser, une fois qu'il eut réussi à trouver les lèvres de Caro qui, pour le plaisir, cherchait à se défiler.

L'escouade 06 venait de renaître à Paris, une très grande ville dont ils ignoraient tous les rouages.

— Tu sais, j'ai un pressentiment, lui dit-elle tout à coup, après un long silence.

— Quel genre de pressentiment ?

— Je pense que ce Stéphane n'est pas étranger à cette affaire.

— Tout à l'heure, tu t'amusais avec lui et tu riais de ses farces, et maintenant tu l'accuses !

— D'abord, je ne riais pas avec lui, monsieur le jaloux. C'était une tactique pour qu'il me rende mon escargot sans faire d'histoires. Ensuite, tu ne vois pas le lien entre les blagues qu'il faisait avec mon petit escargot de latex et l'armée de ces bestioles dans la cuisine ?

— Mais comment aurait-il pu faire main basse sur les biens de tes grands-parents, alors qu'il était à l'aéroport avant nous ?

— En es-tu sûr ?

Les policiers arrivèrent au moment où

chacun était fort occupé. Alice cherchait désespérément certains objets auxquels elle tenait : des souvenirs de sa jeunesse en Grèce, le grand portefeuille de cuir marron contenant un petit écritoire qu'elle avait offert à son mari lorsqu'il fut reçu commissaire, et qu'il n'avait jamais utilisé parce que, dans la police, on ne fait pas dans la dentelle. Caroline et Alex, silencieux, continuaient de réfléchir à la façon dont Stéphane aurait pu commettre son crime, car ils étaient maintenant convaincus que c'était lui le coupable. De son côté, Édouard s'employait toujours à barrer le chemin aux escargots.

Ils étaient trois. Un jeune inspecteur, son assistant et un agent de police qui, lui, s'installa devant la porte d'entrée, sans bouger, comme s'il avait eu pour ordre de garder la scène du crime intacte ou peut-être d'annoncer aux habitants de l'immeuble qu'il s'était passé quelque chose au troisième... Chez les de Grandmaison.

Sans s'occuper des escargots qui risquaient de franchir la barrière établie par Édouard, les policiers examinaient la scène du crime. L'assistant se déplaçait partout dans l'appartement, et laissait ensuite des traces de confiture sur le tapis du couloir et du salon, au grand désespoir d'Alice.

L'inspecteur posait quelques questions, sans conviction. Pour lui, il s'agissait d'une histoire plutôt banale. Pas de blessés, pas de menaces sérieuses, un simple vol commis par de jeunes farceurs...

— À quelle heure avez-vous constaté qu'on s'était introduit dans votre domicile ?

— À notre arrivée de l'aéroport, il y a une heure environ, répondit Édouard.

— Vous n'avez rien remarqué de particulier, mis à part les dégâts que l'on a observés jusqu'à présent ?

— Oui, répondit Alice. Tous mes bijoux ont disparu, la montre que mon mari gardait en souvenir de son frère, nos albums de photos, un ordinateur, un plat en argent, mille euros que je dissimulais dans ce sucrier, notre lecteur DVD et, je viens de m'en apercevoir, des souvenirs personnels de ma jeunesse en Grèce, ajouta-t-elle, la voix brisée par l'émotion.

— Et vous évaluez le tout à combien ? demanda l'inspecteur avec le flegme que doit posséder tout bon policier.

— Je ne sais pas, ce sont des souvenirs, dit-elle en implorant Édouard du regard pour qu'il intervienne.

— Certains de ces bijoux datent de plus de quarante ans. Entre autres, un diamant de plus de deux carats, un héritage de sa grand-mère. Quant au reste, ça n'a pas de prix ; c'est comme si vous me demandiez d'évaluer l'histoire de notre famille, dit Édouard.

L'inspecteur ne fut pas touché par sa répartie. En plus du badge qu'il portait dans la poche de son costume, tout son corps était recouvert d'une carapace qui le rendait imperméable à toute émotion.

— Avez-vous remarqué des signes d'effraction ?

— Non. La porte était bien fermée. Quant à la fenêtre donnant sur la cour intérieure, ma femme l'avait laissée ouverte pour aérer les lieux durant notre absence.

— Ce n'est pas très prudent, dit l'inspecteur tout en continuant de prendre des notes dans son petit carnet noir, comme s'il était en train d'écrire le roman de sa vie.

Lorsque l'interrogatoire fut terminé, le policier considéra les lieux du regard, puis se dirigea vers la fenêtre en question, sans porter attention aux escargots qui avaient transformé la cuisine en terrain de jeux. Il appela l'agent qui faisait toujours le guet à la porte d'entrée et lui fit remarquer quelque chose.

Pendant ce temps, l'inspecteur adjoint, après avoir laissé ses traces de pas partout dans l'appartement, se rapprocha d'Édouard.

— Vous ne me reconnaissez pas, monsieur de Grandmaison ?

— Non, mais votre visage m'est familier.

— Robert Lanthier. Vous avez été mon instructeur à mes débuts dans la police.

— Robert Lanthier ! Mais oui, je me souviens maintenant ! Vous avez bien réussi même si j'ai dû sortir le fouet de temps à autre, répondit Édouard d'un ton amusé.

— C'est oublié tout ça, dit-il en repoussant du pied un escargot bien déterminé à franchir la frontière entre la cuisine et le salon.

Il approchait quinze heures quand les policiers quittèrent l'appartement. Alice avait pris un cachet et se reposait dans sa chambre.

Durant ce temps, Caroline et Alex n'avaient cessé de chercher comment Stéphane aurait pu s'introduire dans l'appartement. D'ailleurs, ils avaient remarqué qu'Édouard avait omis d'en parler aux policiers. Peut-être que lui aussi avait des doutes sur l'honnêteté de son protégé. Mais ce n'était guère le moment de lui poser la question. Ils l'aidèrent plutôt à trouver tous les escargots qui avaient envahi la cuisine.

Une heure à regarder dans toutes les armoires, sur les tablettes, sous le frigo, sur les murs, dans le tiroir de la cuisinière et, finalement dans le couloir, car plusieurs petits futés avaient en effet déjoué l'attention d'Édouard. Après les avoir récupérés, Alice les ébouillanta et Caroline alla les jeter aux ordures.

Alice dormait. Édouard en profita pour appeler Catherine, sa fille, qui habitait à Noisy-le-Grand. Il avait toujours eu une relation privilégiée avec elle. Ils se comprenaient bien tous les deux et entretenaient une sorte de complicité indéfectible. Tout le contraire de ce qu'il vivait avec Thierry Arel, son gendre. « Un comédien raté ! Un guignol ! » se plaisait-il à répéter, même en sa présence, ce qui envenimait leurs rapports de temps à autre. Mais il avait tout de même fini par l'accepter, pour l'amour de sa femme, de sa fille et de son petit fils, Sébastien, un adolescent à l'allure dégingandée, même si celui-ci ressemblait davantage à son père qu'à sa mère. Mais il ne pouvait pas toujours imposer sa vision des choses...

« Nous arrivons ou venons immédiatement », avait répondu Thierry. Bien sûr, Édouard savait ce que ça signifiait...

Trois heures plus tard, ils étaient là : Catherine, Thierry et Sébastien. « Cela va de soi, pensa Édouard, il a attendu que la guerre aux colimaçons soit terminée. »

Catherine réveilla sa mère. Thierry feignait de réconforter son beau-père en faisant des plaisanteries à propos des mollusques. Sébastien, lui, alla s'asseoir devant la télévision après avoir subtilisé le porte-clés en latex de Caroline. Dans ses mains, le petit escargot prenait toutes sortes de mimiques. Ses petites antennes jaunes allaient dans toutes les directions. « C'est moi le coupable, mais vous n'êtes pas fichu de me démasquer » disait Sébastien en se pinçant le nez pour faire croire que la limace parlait.

Retenant un sourire — le père aimait bien le sens de l'humour de son fils —, Thierry lui enleva le petit porte-clés des mains et le remit à Caroline, jugeant peut-être que cette blague était déplacée.

Malgré les émotions de la journée, il fallait tout de même manger. Alice commença à préparer le repas.

— Spaghettis pour tout le monde, lança-t-elle de la cuisine.

— Bonne idée, répondit en chœur la maisonnée.

Soudain, un long cri parvint de la cuisine. La famille se précipita. Alice venait de trouver un tout petit magnétophone dans l'armoire, à l'allure particulièrement louche. Il était sur le dessus d'un pot de sauce aux tomates. Comment un élément aussi important avait-il pu passer inaperçu, alors qu'ils venaient à peine de terminer les recherches ? pensa Édouard.

4

Trois mots

Personne ne mangea de spaghettis ce soir-là, au grand désespoir de Sébastien, qui aimait bien la sauce aux tomates de sa grand-mère.

Retrouvant ses réflexes de policier, Édouard défendit à tout le monde de s'approcher de l'armoire.

— Il vaut mieux être prudent avec ces petits machins. On ne sait jamais quelle catastrophe ils peuvent déclencher, déclara-t-il, imposant son autorité d'ancien policier.

Pour détendre l'atmosphère et surtout pour rassurer son Alice, il lança deux ou trois rires qui suffirent à faire vibrer son ventre comme une grosse caisse. Mais il redevint vite très sérieux, et composa le numéro du poste de police.

Après son appel téléphonique, il continua de détendre l'atmosphère, même s'il savait que la situation pouvait être dangereuse. Édouard distribuait de longs rires sonores à sa femme ainsi qu'au reste de la maisonnée tout en les conduisant sur le palier. Il eut ensuite le réflexe d'avertir les gens de l'immeuble, surtout ceux d'en face et d'au-dessus, mais tous ces gens n'étaient pas à la maison.

Caroline, Alex et Sébastien, assis dans les escaliers, s'échangeaient les écouteurs d'un baladeur afin de ne rien manquer du dernier disque de Corneille, auteur-compositeur québécois originaire du Rwanda, lorsqu'ils n'étaient pas dérangés par Thierry. D'ailleurs, celui-ci contribuait à alléger l'ambiance avec tant de succès, que les policiers furent surpris de l'atmosphère à leur arrivée sur les lieux, quelques minutes plus tard.

En moins de deux, les policiers recommandèrent l'évacuation préventive de l'immeuble.

Édouard demanda à sa femme de se conformer aux ordres des policiers. Elle entra en vitesse dans l'appartement et prit un cerceau sur lequel était tendu un fin tissu où elle avait commencé à broder un grand lys. Comme si elle partait avec toute son enfance, avec toute sa manière de vivre. Comme si elle envisageait le pire.

Dehors, les services d'urgence établirent un périmètre de sécurité. De la rue Michel Le Comte jusqu'à la rue Rambuteau. Presque tout le secteur était bouclé. C'est dire jusqu'à quel point les policiers prenaient cette alerte au sérieux. La circulation était limitée. Il fallait donner de très bonnes raisons pour obtenir l'autorisation de rouler sur cette portion de la rue Beaubourg. Tout ce branle-bas afin de permettre aux véhicules de la police d'accéder rapidement aux lieux du crime. Puisque maintenant, il s'agissait bien d'un crime...

— C'est drôle comme un tout petit magnétophone peut changer une situation, lança Thierry. J'en ai quelques-uns à la maison, avec ça, on pourrait peut-être faire bouger certaines choses. Qu'en penses-tu, Édouard ?

— Commence par te bouger toi-même, répliqua sèchement son beau-père.

— Je ne fais que ça. Je me transforme en

courant d'air, ajouta Thierry, pendant que le père de sa femme le poussait dans la rue.

La famille et les gens évacués avaient été refoulés jusqu'à la place de l'Horloge, près du Centre Pompidou. On y retrouvait aussi d'autres habitants des immeubles avoisinants.

Après avoir fait valoir ses années d'expérience, Édouard avait pu rester avec les policiers, d'autant plus qu'il connaissait bien l'inspecteur en devoir ce soir-là. Celui-ci avait donc accepté de faire une entorse au règlement.

À son habitude, Thierry s'occupait de l'animation sur le terrain, sur le trottoir devrait-on dire. Aidé de son fils, qui jouait du tam-tam sur une poubelle, il invitait les évacués et les curieux à assister au spectacle. Il donnait l'impression qu'il ne prenait pas l'alerte au sérieux. Pour lui, cet incident était l'œuvre d'un petit farceur... Une idée qu'il aurait lui-même aimé avoir, car rien ne l'arrêtait, puisque la réalité n'avait aucune prise sur sa personne. D'ailleurs, depuis quelques années, il ne s'était jamais privé de déclarer à tous les vents que les Américains avaient organisé le scénario du onze septembre.

Ferré en informatique, il avait même produit un DVD dans lequel des agents de la CIA discutaient du déroulement de cette journée. On apercevait de petits bonhommes écrasés par leur grosse tête, des machines à grimaces, fabriquant des avions de papier qu'ils lançaient sur un World Trade Center en carton, dont les deux tours penchaient dangereusement puisqu'elles reposaient dans une sorte d'aquarium. Il s'agissait de tours dissoutes à la base par l'eau. Thierry avait même gagné un prix dans un festival de l'humour d'une notoriété douteuse. Pour ses proches, il n'avait fait que le guignol. Faire rire à tout prix. Ridiculiser la réalité. « La fuir », aurait pu ajouter sa femme.

L'homme s'aperçut que personne ne riait, surtout pas sa belle-mère. Son fils tapait de plus en plus fort sur la poubelle. Thierry lui demanda de cesser de faire ce vacarme d'enfer. Il se réfugia ensuite dans les bras de la vieille dame. Elle le reçut comme un fils ; il était enfant unique. Elle connaissait son existence malheureuse et savait ce qu'il avait vécu depuis l'adolescence. Ses parents avaient perdu la vie dans un accident de voiture en revenant de vacances à Interlaken[2]. Désireux de rentrer en France par l'Alsace, ils avaient emprunté l'autoroute du côté de l'Allemagne et y avaient laissé leur vie, brûlés vifs dans leur voiture. Thierry avait douze ans à l'époque, mais il était assez vieux pour s'en souvenir toute sa vie. Pour oublier, il avait choisi la voie de la dérision, ce qu'Édouard n'acceptait pas à cause de sa formation de policier, où la droiture doit passer par un seul chemin et aboutir à une façon unique d'exprimer ses sentiments.

Pour Édouard, l'absurde et la dérision n'étaient pas des armes utiles contre l'agressivité grandissante de la société. Seule la loi comptait. Et le rire qu'il ne pouvait pas contrôler, comme la danse de son ventre, lui donnait une image d'homme serein, malgré les atrocités dont il avait été témoin durant sa carrière. Un rire comme un tic nerveux. Un rire comme un gène qui, à la naissance, nous immunise contre le désespoir. Quant à Catherine, elle commençait à en avoir assez d'un mari qui riait de tout. Mais elle l'aimait passionnément.

Tout à coup, le bruit des sirènes retentit et la rue Beaubourg fut prise d'assaut par les

---

[2]   Ville touristique située en Suisse.

véhicules de la police, tous gyrophares allumés. Cette fois, tout le quadrilatère entourant l'immeuble fut fermé. Alice laissa tomber sa broderie qu'elle tenait jusque-là serrée contre sa poitrine. Alex la ramassa avant que des badauds la piétinent.

Sans prévenir personne, Caroline s'était élancée vers la maison, de peur qu'il ne soit arrivé quelque chose à son grand-père. Bien sûr, les policiers l'empêchèrent d'approcher. Mais elle insista, et un agent lui apprit qu'il fallait neutraliser un engin qui pourrait s'avérer dangereux. Quelques instants après, elle vit son grand-père sortir de l'immeuble. Cette fois, les policiers l'avaient obligé à sortir de l'appartement. Édouard prit sa petite fille par les épaules et éclata de rire, mais pas de façon très convaincante.

— Ne t'en fais pas. Je leur ai dit de me joindre sur mon portable s'ils avaient besoin d'aide. Et j'ai ajouté qu'il ne restait plus d'escargots et que les spaghettis n'étaient pas encore cuits...

Un policier les rejoignit à l'extérieur une heure plus tard. En réalité, le petit magnéto-phone était relié à une charge d'explosifs, mais la faible puissance de l'engin ne les inquiétait plus. Les occupants de l'immeuble pouvaient maintenant rentrer chez eux. Ce policier, qu'Édouard ne connaissait pas, le prit à part.

— Nous avons trouvé ce petit bout de papier sous le pot de sauce tomate. Nous le gardons comme pièce à conviction. Vous pouvez noter les mots qui y sont inscrits. Peut-être que vous pourrez nous aider.

— Attendez que je trouve un crayon.

— Tenez, prenez le mien.

— Merci.

— Vous voulez que je vous les écrive ? demanda le policier quand il s'aperçut qu'Édouard avait la main tremblante.

— Non, ça va aller. N'oubliez pas à qui vous avez affaire...

— Jamais, monsieur le commissaire. Vous êtes un modèle pour nous tous dans le quartier.

— J'y suis.

— Alors : *Escalator. Tampura. Poupée.* Signé : *Gastéropode.* Est-ce que ces mots vous rappellent quelque chose ?

— Non, vraiment pas.

— Peut-être que ce petit magnétophone contient d'autres informations. Tout cela sera analysé en laboratoire. Nous vous tiendrons au courant. Mais d'après moi, on a surtout voulu vous faire peur, car pourquoi aurait-on laissé ce bout de papier ? ajouta le policier qui, visiblement, ne voulait pas en dire davantage.

Tandis que les gens recommençaient à circuler dans la rue Beaubourg, Thierry offrit généreusement à ses beaux-parents de les héberger pour la nuit, et plus longtemps, si cela s'avérait nécessaire.

— Allez, ça sera à la bonne franquette ! Pour une fois, toutes les pièces de la maison seront occupées en même temps, mais pas question de trop fraterniser. Il n'y a rien de plus mortel que cette complicité qui s'installe entre membres d'une même famille. Après, on se croit tout permis.

Édouard sourit et alla fermer la porte de l'appartement à double tour, tout en se disant que c'était inutile, compte tenu des événements. Il alla ensuite chercher sa voiture garée dans le stationnement du Centre Pompidou. L'homme fut surpris par le crissement des pneus sur le ciment fraîchement repeint. Il en grimaçait tellement ce bruit lui était insupportable.

Quelque quarante minutes plus tard, la famille de Grandmaison arrivait à Noisy-le-Grand. Pour une fois, les usagers de l'autoroute A4 évitaient les embouteillages.

Compte tenu de l'heure tardive, il était plus de vingt-deux heures, on décida de commander une pizza. Pour faire patienter sa faim, Édouard ouvrit le frigo et revint au salon avec un pot de crème glacée Häagen-Dazs au chocolat. Personne ne fut surpris. Tous connaissaient le goût d'Édouard pour la glace.

Tout en mangeant avec appétit, il ne put cependant pas se retenir, malgré la recommandation des policiers, de ne parler à quiconque de ces mots énigmatiques.

— Est-ce que ces mots vous disent quelque chose : *escalator*, *tampura*, *poupée* et signé *gastéropode* ?

— De quoi parles-tu, Édouard ? dit Alice, croyant que son mari était peut-être sous le coup d'une crise d'égarement due à la crème glacée.

— Oh ! Ce n'est rien. Une devinette que m'a laissée le policier en souvenir du temps où je les mettais en boîte tous les jours. Alors, il m'a dit sur le ton du défi, qu'il allait résoudre cette affaire avant que je trouve le lien entre ces quatre mots. Voilà pourquoi je vous posais la question. On ne sait jamais, Thierry aurait pu avoir la solution, ajouta-t-il avec un large sourire fabriqué.

Alice toucha à peine à la pointe de pizza qu'on lui avait servie. Épuisée, elle préféra aller se coucher, incapable de faire l'effort de comprendre pourquoi le malheur les affligeait.

Catherine décida que c'était l'heure de dormir pour tout le monde. Elle laissa à Noiraud-le-chat le soin de terminer les croûtes fourrées de fromage fondant. Juste avant, son père avait engouffré plusieurs pointes de pizza après avoir vidé un pot entier d'Häagen-Dazs. Son mari et elle attribuèrent une place à tout le monde. Bien entendu, Alice et Édouard dormiraient dans la chambre principale ; eux, ils coucheraient dans le salon, et Sébastien dans sa chambre, où personne n'avait le droit d'entrer de toute façon.

Un instant, Alex pensa que Caroline et lui pourraient se retrouver au deuxième, une sorte de capharnaüm avec une seule petite fenêtre sous les combles, mais, Caroline hérita du bureau, où il y avait un canapé, et lui, partagea seul le domaine de Noiraud-le-chat...

Caroline dormit peu cette nuit-là. Elle avait compris que son grand-père s'était compromis en posant sa question au sujet des mots. Il avait voulu jouer de ruse, mais elle n'était pas dupe. Elle se répéta sans cesse l'énigme. *Gastéropode. Escalator. Tampura. Poupée.*

5

Poupée hermaphrodite

Alex se réveilla très tard le lendemain et mit du temps à ouvrir les yeux. Il entendait les conversations du café d'en face, qui lui provenaient par l'entrebâillement d'une toute petite fenêtre, une sorte de vasistas mal fermé. Il lui semblait que ses yeux étaient collés et qu'il devait les laisser fermés pour sa propre protection.

Lentement, il laissa filtrer une sorte de lumière poussiéreuse jusqu'à sa rétine. Noiraud-le-chat, juché sur la petite bibliothèque à côté de son lit, le fixait de ses yeux ronds et verts. Ne pouvant supporter ce regard, il atteignit le vasistas et l'ouvrit. Noiraud-le-chat lui sauta dessus et s'agrippa de toutes ses griffes à ses cheveux pour enfin s'enfuir par cette petite ouverture. De toute évidence, c'était le chemin qu'il avait l'habitude d'emprunter. En voulant s'extirper de ce lit, qu'il jugeait aussi confortable qu'un cercueil entrouvert, Alex se cogna la tête à une poutre verticale qui descendait jusqu'au sol. En s'appuyant sur ses coudes et ses talons, il se glissa au pied du lit comme un lapin désorienté qui sort de sa tanière à reculons. Il était onze heures et la chaleur l'accablait déjà. Ses draps étaient moites tellement il avait transpiré.

En face de sa chambre, il trouva une vaste salle d'eau. À dire vrai, il avait eu peu de temps la veille pour explorer la maison. Une baignoire encastrée, à laquelle on accédait en montant quelques marches recouvertes de céramique, trônait au milieu de cette pièce. Compte tenu du silence à l'intérieur de la maison et par crainte de réveiller les autres, le garçon décida d'attendre et d'oublier le bain pour cette fois. En outre, il ne vit aucune serviette dans cette grandiose salle de bain. Il se passa le visage à l'eau et s'habilla à la hâte.

Comme de fait, la maison était vide. Alice et Édouard étaient retournés rue Beaubourg et Thierry était au travail. Les autres, Caroline, Catherine et Sébastien mangeaient des croissants en silence sur la terrasse arrière, laquelle surplombait le jardin. Elle était faite de pierres roses et de pavés rongés par le soleil et la pluie. Un maillot de bain séchait sur le muret. Catherine lisait une revue sur les randonnées en montagne. Caroline semblait perdue dans ses pensées. Sébastien, lui, disputait un croissant à un long chat noir, un deuxième chat qui, sans aucun doute, était déterminé à emporter le morceau. Le garçon s'aperçut le premier de la présence d'Alex.

— Si tu veux manger, Alex, c'est le temps avant que Panthère Noire avale tout, lui dit-il.

— Un autre chat ? demanda Alex en espérant qu'il s'agisse du seul et même animal, mais avec un nom différent.

— Oui. Celui-là, je le dresse à l'attaque, déclara Sébastien.

Le garçon agaçait le matou et essayait de le mettre en colère dans le but évident d'effrayer Alex.

— Et celui-ci ? ajouta timidement Alex, qui en pointait un troisième de l'index.

— Lui, c'est Spider Black. Je l'ai dressé à voler et à s'agripper au grand mur de pierres, là-bas, au bout du terrain. Il fait un carnage dans les nids d'oiseaux. C'est merveilleux de le voir agir. Regarde ça !

Il se leva et lança le félin vers le mur de vieilles pierres, dont plusieurs étaient tombées, ce qui offrait des gîtes naturels aux oiseaux. Spider Black avait à peine atteint la vigne qui couvrait en grande partie le mur, qu'il avait un oiseau dans la gueule. Les piaillements apeurés des oiseaux quittant leur nid à vive allure ramenèrent Caroline et Catherine à la réalité.

— Vas-tu laisser ce chat tranquille ? lança Catherine.

— C'est papa qui m'a montré ce truc, répliqua-t-il.

— Viens manger et laisse tomber tes idioties !

Caroline connaissait la réputation de son cousin ; elle tendit la main à Alex, mais Sébastien ne lâcha pas prise.

— Prends les restes de mon croissant, Alex. Panthère Noire n'en veut plus.

— Sébastien ! Ça suffit ! cria Catherine.

— J'ai deux autres chats, tu sais. Je les ramasse dans les rues. Tous noirs. C'est mon critère de sélection. Tu devrais voir les tours d'adresse que je leur enseigne. Et quand ils n'apprennent pas assez rapidement, je les étrangle et les enterre dans le jardin.

— Sébastien ! Vas-tu te taire, à la fin ? Nos trois chats sont des amours, pas des monstres !

Alex n'osa pas manger de peur que Panthère Noire n'eût goûté ou flairé de trop près les croissants. La chatte était couchée au beau milieu de la table, entre deux pots de confiture.

Sous prétexte de vouloir admirer les fleurs, Caroline entraîna Alex dans le jardin encombré de rosiers, de géraniums et de delphiniums aux longues violacées garnies de toutes petites fleurs. En fait, il ne restait qu'un tout petit sentier déjà presque envahi. Le rendez-vous privilégié des abeilles et des guêpes.

Assis au bord de la piscine, Alex se sentait un peu plus en sécurité, loin du bourdonnement des insectes piqueurs et des chats mangeurs d'hommes.

— J'ai lu toutes les définitions que j'ai pu trouver sur le mot gastéropode. Ça ne donne rien. « Mollusque rampant sur un large pied central », lui dit-elle de mémoire. Rien qui nous suggère la moindre piste.

— Tu essaies de solutionner l'énigme de ton grand-père ? Ces mots n'ont rien à voir avec l'enquête.

— Mon petit doigt me dit le contraire. Je connais bien papy.

— L'auteur du vol a peut-être signé de cette façon pour se montrer plus intelligent que nous tous, ajouta Alex sans grande conviction.

— Je ne crois pas. Il a sûrement voulu nous dire quelque chose.

— Et tampura ? As-tu trouvé la signification ?

— Une sorte de luth. Un instrument traditionnel de l'Inde à quatre cordes pincées qui sert d'accompagnement.

— Et bien ! Je vois que tu as fait des recherches sérieuses.

— Il y avait plein de dictionnaires dans le bureau où j'ai dormi.

— Mais ça ne nous sert à rien. Il n'y a aucun lien entre ces deux mots.

— Attends, lui dit-elle, je me rappelle un détail. J'ai aussi appris qu'un escargot, ou un gastéropode, est un hermaphrodite.

— Un quoi ?

— Un hermaphrodite. Ça veut dire qu'il possède les deux sexes. Et j'y pense, il y avait aussi le mot *poupée* dans l'énigme qu'il a laissée. Les poupées ont rarement un sexe apparent. Et les visages se ressemblent presque tous.

— Là, tu me perds ! Et puis, c'est plein de chats et de guêpes ici. On dirait qu'ils nous ont suivis. Est-ce qu'on peut aller ailleurs ?

— Viens ! dit-elle au moment où Sébastien s'amenait. Le garçon agitait le petit escargot porte-clés de Caroline afin d'énerver Spider Black qui faisait de drôles de bonds pour l'attraper.

— Donne-moi mon porte-clés, lui ordonna Caroline.

— Ne t'énerve pas ! Regarde comme Spider Black s'amuse.

Sa phrase à peine terminée, l'adolescent le lança dans la piscine et, heureux de son coup, retourna ensuite sur la terrasse.

Heureusement, le petit escargot de latex flottait près du bord. Alex l'attrapa et le remit à Caroline. C'est ainsi qu'ils furent délivrés des gags d'un goût douteux de Sébastien. Caroline prit les devants vers la terrasse. Après une longue hésitation, Alex se fraya un chemin en courant à travers une nuée de guêpes et d'abeilles. Avec ce genre de bestioles à ses trousses, il serait fort capable de courir le marathon de Boston. Un sourire au coin des lèvres, Caroline l'attendait sur la terrasse.

— Très brave, mon cher confrère de l'escouade 06 ! lui glissa-t-elle à l'oreille. Viens avec moi.

— Où ça ?

— Suis-moi et silence, lui répondit-elle.

Elle l'entraîna dans le bureau où elle avait dormi.

— Tourne-toi, que j'enfile mon tee-shirt.

Avertissement inutile puisque Alex surveillait Spider Black, posté sur le rebord de la fenêtre.

— Nous allons à Paris, lui lança-t-elle lorsqu'elle fut prête.

— Pourquoi à Paris ? réussit à articuler Alex, les yeux braqués sur Spider Black.

— Cher collègue ! *Poupée. Gastéropode. Hermaphrodite.* Tu n'allumes pas ? Il y a un Musée de la Poupée derrière la maison de mes grands-parents. Papy m'y a déjà amenée. Viens. Dépêche-toi !

— Mais comment irons-nous à Paris ?

— Par le RER. Attends, j'ai le guide ici.

Elle trouva l'information en quelques secondes. Le RER jusqu'à Châtelet, puis direction métro Rambuteau.

— Allez, viens, dit-elle.

La jeune fille le saisit par la main et lui effleura la joue d'un baiser inespéré, vu le peu d'enthousiasme d'Alex.

Catherine, trop occupée à se trouver une destination pour une longue randonnée pédestre, le seul sport qu'elle pratiquait sans mari ni enfant durant ses vacances, ne souleva aucune objection quant à leur projet de se rendre à Paris.

Les deux voyageurs arrivèrent à l'impasse Bertaud au début de l'après-midi. Tout au fond, une vieille maison basse en pierres noircies par le temps faisait office de musée.

Ils entrèrent dans un petit vestibule encombré par un tas d'antiquités. Disposée sur une chaise au siège de paille, une grande poupée au visage angélique, habillée en Marianne, tenait compagnie à un soldat au visage similaire, vêtu d'une tunique rouge et d'un justaucorps blanc. « Décidément, Caro avait raison, pensa Alex, les poupées se ressemblent toutes, garçon ou fille. »

Déjà, il y avait plein de visiteurs, surtout des adultes d'un certain âge qui venaient se rappeler leur enfance. Des centaines de poupées costumées et placées dans des scènes d'antan attendaient les regards émus. On pouvait voir une bonne sœur et quelques-uns de ses élèves. Les employés du musée avaient même placé des livres sur les pupitres. Plus loin, on apercevait une scène de famille où tous les membres étaient réunis autour d'une vieille table en bois. Toutes ces scènes rappelaient l'histoire de France. Divers accessoires miniatures impressionnèrent Alex : des petits livres racornis, des fauteuils de damas dont la couleur était passée, un vieux gramophone à cornet, un clavecin avec ses dorures, et beaucoup d'autres objets anciens. Caroline allait d'une vitrine à une autre en oubliant la raison principale de leur visite dans ce musée. Alex dut insister pour qu'elle se libère de cet envoûtement créé par la magie que dégageaient toutes ces poupées. À partir de cet instant, ils furent à l'affût du moindre indice susceptible de les aider dans leur enquête. Une scène cadrait mal avec le caractère historique de toutes les autres ; ce fait attira leur attention. Un policier semblait interroger des badauds dans une grande avenue. Au fond du décor, il y avait un grand immeuble troué de fenêtres dont les volets étaient fermés.

— Regarde, Caro. Ça ressemble à la maison de tes grands-parents. On dirait une scène de crime.

— T'as raison. Et regarde le titre : Après le vol. Et c'est écrit : Don d'un policier de Paris.

— Cette trouvaille ne nous avance pas beaucoup.

— Si on allait poser quelques questions à la dame, à l'entrée.

Ils apprirent que c'était l'une des plus récentes pièces de la collection du musée.

— Est-ce que l'on peut connaître le nom du donateur ? demanda Caroline.

— Mais certainement, il s'agit de monsieur Édouard de Grandmaison, répondit la dame après avoir consulté une petite fiche rose.

Abasourdis par cette révélation, ils oublièrent de remercier l'employée. Caroline sortit du bureau en coup de vent.

— Je n'aime pas ça, dit-elle, choquée par la réponse de l'employée.

La jeune fille refusait de croire que son papy avait quelque chose à voir avec cette affaire de vol.

Sans ajouter un mot, Caroline quitta le musée, cet endroit qu'elle maudissait intérieurement. Elle marchait à grands pas devant Alex, oubliant quasiment qu'il existait. Il la rejoignit au plus vite, mais elle demeura perdue dans ses pensées. L'adolescent tenta de passer son bras autour des épaules de son amie pour la réconforter, mais elle se dégagea gentiment. Alex en prit son parti. Il avait compris son dilemme : elle soupesait les liens qu'elle faisait entre cette scène de crime et son grand-père. Alexandre, pour sa part, croyait qu'il n'y avait aucun rapport entre Édouard et le vol. Il ne s'expliquait quand même pas cette récente acquisition du musée. Il suivit son amie dans cette impasse où seuls quelques habitués sirotaient un apéro sur la terrasse d'un café. Il pensa que Caroline allait en définitive arriver à la même conclusion que lui d'ici leur retour à Noisy-le-Grand.

Alex marchait, son regard dirigé sur le pavé, quand il aperçut une quantité impressionnante de boîtes d'escargots vidées de leur contenu, disposées sur un bac à ordures. Il voulut avertir Caroline, mais il se ravisa au moment où celle-ci lui cria :

— Alex ! Vite, dépêche-toi !

Déjà, elle courait à toutes jambes. Ils se rendirent ainsi jusqu'à la place Joachim-du-Bellay.

— J'ai perdu sa trace. Je suis convaincue que c'était Stéphane. Tu sais, le gars qui était à l'aéroport hier ?

— Tu es certaine ? Il devait retourner en Belgique. Il attendait son frère.

— J'en suis persuadée ! Il portait un jean beige et un tee-shirt noir. Il me semble l'avoir vu agiter une poupée sans tête. Il m'a jeté un regard frondeur, accompagné d'un sourire sarcastique. Et je l'ai perdu. Viens.

Faisons le tour de la place. On ne sait jamais...

En silence, ils arpentèrent l'endroit plusieurs fois. Rien. Aucune trace du passage de Stéphane et de la poupée sans tête. Résignée, Caroline s'assit sur une borne de ciment. Alex en profita pour lui parler de sa découverte à la sortie du musée.

— J'ai vu quelque chose d'étrange dans l'impasse Bertaud. Une bonne dizaine de boîtes d'escargots vides sur un bac à ordures.

— Pourquoi ne me l'as-tu pas dit ?

— J'allais le faire, dit-il en retouchant quelque peu la vérité, lorsque tu m'as crié de te suivre.

Il avait l'impression de l'avoir déçue. Sans bouger, Alex écouta avec attention les observations de Caroline.

— Mon grand-père fait un don au musée... des boîtes d'escargots vides... Stéphane qui agite une poupée sous mes yeux... Et nous ne sommes pas fichus de trouver quoi que ce soit à partir de ces indices.

Cette fois, Alex prit son amie par les épaules ; elle avait vraiment besoin d'encouragement et de soutien. Il lui assura que son grand-père, sans le moindre doute, n'avait rien à voir avec cette histoire de musée. Ils marchèrent ainsi, sans parler, dans cette place bondée de touristes.

La chaleur était devenue insupportable à leur arrivée devant le restaurant Pizza Hut ; ils décidèrent de s'y arrêter. Il était quinze heures. Caroline choisit une pizza aux fruits de mer, croûte mince. Alex en commanda une au jambon, noyée de fromage fondant. Malgré la situation désespérante et le décalage horaire, ils avaient une faim de loup.

L'adolescent s'était assis à côté de Caro dans l'espoir d'accueillir sa tête sur son épaule à un moment donné. En la regardant manger, il vit quelques gouttes de sueur qui perlaient à ses tempes. D'une main hésitante, il osa toucher les quelques cheveux collés sur sa joue. Un geste de grande affection et de protection. Un geste rempli d'émotion. Caroline l'embrassa. Un baiser à l'image d'une longue lettre d'amour qu'un tourtereau relit inlassablement dans sa tête, les yeux fermés.

— Qu'est-ce que tu en penses, Alex ? lui demanda-t-elle avant de prendre une gorgée de Coke.

Il se demanda si elle parlait du baiser qu'elle venait de lui donner ou de la situation qu'ils vivaient.

— Je ne sais pas, répondit-il après quelques secondes d'hésitation.

— Pour papy, tu as certainement raison : il n'a rien à voir avec notre découverte au musée. Quant à Stéphane, je ne suis plus tout à fait certaine que c'était bien lui. Pourtant... Et toi, qu'en penses-tu ?

— Impossible de confirmer tes doutes ou tes certitudes, je ne l'ai pas vu. Mais c'est possible, s'empressa-t-il d'ajouter, voyant que Caro s'attristait de sa réponse. Mais je ne comprends pas le lien qui unit tous ces événements. C'est peut-être dû à une succession de hasards... On dirait un collage d'événements surréalistes.

— Je sais, répondit Caroline. Mais j'ai la forte impression qu'on cherche à nous attirer dans un guet-apens ou du moins à attirer notre attention sur plusieurs pistes à la fois. Il me semble qu'une énigme en déclenche une autre.

— J'ai l'impression que c'est nous que l'on veut attirer dans une situation sans issue...

— C'est vrai, ça ! Pourquoi nous ? demanda la jeune fille. Ils ne connaissent pas notre secret. L'escouade 06 n'est connue que de nous deux. Mais j'y pense. Papa avait téléphoné à papy pour lui raconter notre aventure, sachant qu'il serait fier de moi, compte tenu de sa carrière policière. Tel grand-père, telle petite-fille, lui avait-il dit. Papy en a peut-être parlé à des gens autour de lui.

— Et le voleur aurait peur de nous ? Tu n'es pas sérieuse...

— Non, mais il cherche peut-être à nous impliquer dans cette affaire ou à se jouer de nous.

— Veux-tu dire que le voleur connaîtrait intimement ton grand-père ?

Caroline ne put répondre à cette question. Peut-être refusait-elle de le faire. Cependant, le jeune couple termina leur pizza en souriant de façon complice, comme si un plan de travail se dessinait déjà dans leur tête.

Ils se dépêchèrent de se rendre au métro Rambuteau. Ils avaient promis à Catherine de la rejoindre à Noisy à dix-huit heures au plus tard. Alice et Édouard étaient attendus pour le repas ; il n'y avait donc pas une minute à perdre, surtout que Caroline ne voulait pas que ses grands-parents soient informés de leur visite éclair à Paris.

En arrivant à la station, ils furent retardés par le SAMU[3] et par les policiers. Un homme venait d'être agressé dans la rue Rambuteau, près de l'entrée du métro. Ne voulant pas se faire remarquer sur cette section de la rue — on ne sait jamais, Édouard aurait pu passer par là —, ils attendirent sagement que l'entrée soit dégagée. Ils s'engouffrèrent dans le long corridor souterrain dès qu'ils entendirent le signal du préposé. Caroline conservait encore l'espoir d'arriver à l'heure convenue.

Alex fit tout le trajet debout, sauf les dix dernières minutes avant d'arriver à Noisy-le-Grand où il put s'asseoir derrière Caroline. Il en profita pour admirer ses longs cheveux soyeux. Il sommeilla quelques minutes et rêva à sa Caro comme en ombre chinoise. À Spider Black aussi...

En arrivant à Noisy, Caroline voulut s'arrêter à l'épicerie Carrefour pour acheter un pot d'Häagen-Dazs pour son grand-père.

---

[3] *Service d'aide médicale urgente*

Une façon pour elle de se faire pardonner cette idée saugrenue qu'elle avait eue, qu'il y ait un lien possible entre son papy et le voleur. Parfum facile à choisir : chocolat, chocolat et encore chocolat.

Spider Black les accueillit à la maison, l'espace de quelques secondes seulement puisqu'il partit en vitesse vers le mur aux oiseaux ; il venait de remarquer un oiselet sur le point de quitter son nid.

Malgré le soleil radieux et la chaleur, il n'y avait personne sur la terrasse ni dans le jardin, sauf Noiraud-le-chat et Panthère Noire ; la chatte, pour sa part, attendait patiemment le prochain repas, toujours étendue au centre de la table.

Au moment de monter à l'étage pour se rendre au salon, ils furent saisis par un lourd silence de consternation. Les chats vinrent se placer de façon cérémonieuse devant eux, comme pour les préparer à un drame. Caroline et Alex se dirigèrent vers le salon avec la peur au ventre.

6

Victime pour la deuxième fois

Toute la famille était réunie dans la salle à manger. Il y avait Catherine, et Thierry, rentré de son travail, ainsi que Sébastien et une grande tante de Caroline, Juliette, une dame haute en couleurs âgée de soixante-dix ans, mais qui en paraissait à peine cinquante. Cette femme du monde connaissait personnellement de grands artistes français et étrangers. Un être dont l'allure même était un langage. Sa façon de marcher, de jouer avec ses nombreuses bagues qui produisaient des petits bruits métalliques, disaient qu'elle avait autorité sur les hommes et sur les choses. Elle était habituellement de nature exubérante, mais aujourd'hui, elle était prostrée, le visage niché entre ses mains dont les doigts fins se terminaient par des ongles très longs et d'un rouge vif. D'ailleurs, tout un chacun semblait atterré, réfugié dans la pénombre en raison des volets de la salle à manger, fermés pour conserver un peu de fraîcheur dans la maison. On ne tolérait l'été que sur la terrasse seulement...

Les chats allèrent se placer dans la bibliothèque et prirent une position d'appuie-livres. Même Spider Black.

Juliette rompit le silence et informa Caroline et Alex de ce qui venait d'arriver.

— Caroline, ton grand-père est à l'hôpital. Il a été agressé en revenant de faire des courses pour le souper de ce soir. Selon le médecin, il n'a pas été blessé sérieusement, mais il a été terrassé par une crise cardiaque. J'ai téléphoné à ton père. Il vient de me rappeler ; il a déniché une place sur un vol de KLM, mais avec une brève escale à Amsterdam. Il sera là après-demain seulement. Impossible avant, c'est la haute saison touristique.

— Est-ce arrivé près du métro Rambuteau ? demanda Caroline.

La jeune fille était pâle, d'une blancheur inquiétante.

— Oui. Juste en face.

— Et papy ?

— Pour l'instant, nous n'avons pas d'autres nouvelles.

Personne n'ajouta quoi que ce soit. Les regards erraient sur les affiches laminées d'Elton John, des Rolling Stones et de Sting qui ornaient les murs de la pièce. Thierry, lui, fixait celle de Yoko Ono et de John Lennon, prise par un photographe québécois lors du *bed in* des deux vedettes à Montréal. Il aimait se souder à une image pour oublier le drame qui avait marqué son enfance, la mort de ses parents sur une route anonyme d'Allemagne. Triste événement qui avait fait de lui un homme au sens de l'humour caustique où l'absurdité du monde et des êtres humains se hissait toujours au premier plan ; ce qui laissait entendre qu'il avait peu d'empathie.

— Qui va aller chercher Alice ? demanda-t-il à brûle-pourpoint. L'homme détacha son regard de la photo comme on sort d'un refuge.

— Elle attend à l'Hôtel-Dieu avec papa et ne veut pas le quitter. J'ai appelé à l'hôpital, mais je ne peux pas lui parler. Il faudrait la convaincre de se reposer un peu.

— J'y vais, répondit Thierry.

Sans hésiter davantage, il s'empara de son vieux sac de cuir, le plaça en bandoulière et se dirigea vers sa Renault d'une couleur indéfinissable, tant la peinture était délavée par le temps. Caroline insista pour l'accompagner.

Après les embouteillages monstres sur l'autoroute A4, ils revinrent à Noisy. Alice garda le silence durant le trajet. Elle tenait à la main une broderie à peine commencée et un sac de provisions au fond duquel elle avait déposé la montre de son mari. C'était une entente entre eux depuis qu'il était dans la police. « S'il m'arrive quelque chose, récupère ma montre. » Un gros bijou démodé qui lui avait rendu de nombreux services durant ses enquêtes. Une amie qu'il ne fallait pas trahir. Voilà pourquoi Alice l'avait apportée, pour éviter de la laisser à l'hôpital, perdue dans un bureau quelconque parmi les affaires personnelles d'autres patients.

Noiraud-le-chat quitta sa position d'appuie-livres et vint se frotter aux jambes d'Alex, lui indiquant ainsi qu'il avait un petit creux. Gêné et ne sachant trop que faire ni quoi penser de ce drame, Alex laissa la famille de Caro à sa peine et se dirigea vers la cuisine, suivi de Noiraud-le-chat. Même Spider Black s'y précipita. Il n'avait pourtant pas l'habitude d'attendre qu'on lui serve à manger. Il ne trouva aucune pâtée. Il décida de leur préparer un repas spécial. Dans l'armoire, des boîtes d'escargots, encore des escargots... Au frigo, un reste d'asperges et de crème de poireaux, et d'autres aliments, bien sûr, qu'il n'osa pas donner aux chats... Il leur prépara un petit quelque chose dont ils allaient se souvenir tout au long de leurs sept vies. De toute façon, il lui fallait les apprivoiser puisqu'il allait habiter Noisy-le-Grand pour quelques jours encore très certainement.

Il laissa les chats à leur repas et retourna dans la salle à manger, toujours aussi sombre. Caroline sanglotait dans les bras de Juliette. Alice s'était remise à sa broderie, sans pleurer, sans parler, sans conviction. Elle avait passé la grosse montre d'Édouard à son poignet droit. De temps à autre, elle jetait un regard vide sur les membres de sa famille, un regard qui n'était pas sans refléter certains reproches. Tout à coup, Juliette se leva et dit :

— Bon ! On ne va pas laisser Édouard tout seul dans cette affaire-là. Merde !

— Tu as raison, Juliette ! lança Thierry.

— Que pouvons-nous faire ? demanda Catherine avant de se diriger vers son mari.

— Spider, ne touche pas à cette bouffe ! cria Sébastien au long chat noir, qui était revenu de la cuisine. Il nous faut y goûter avant. On ne sait jamais, tu pourrais t'empoisonner.

La plaisanterie ne fut pas très appréciée par les membres de la famille, sauf de son père qui, malgré la situation, demeurait un inconditionnel du sens de l'humour de son fils.

La sonnerie du cellulaire de Catherine fit oublier la blague de Sébastien. Un médecin de l'Hôtel-Dieu lui confirma que son père était plongé dans un coma artificiel et qu'il serait maintenu dans cet état encore quelques jours, sinon quelques semaines. Mais il ne pouvait pas se prononcer.

Catherine répéta plusieurs fois les paroles exactes du médecin, mais Juliette se réfugia dans son monde, où la beauté de ses souvenirs n'arrivait pas à estomper la tristesse et l'angoisse qui l'habitaient. Lentement, elle continuait de broder un éternel lys avec l'attitude gracieuse d'une biche qui continue de brouter sans se douter qu'un prédateur approche, comme si la mort lui était égale. Tout à coup, Catherine s'adressa à Caroline et à Alex.

— Vous êtes allés à Paris aujourd'hui ? Êtes-vous allés voir mamie et papy ?

— Pas tout à fait, répondit Caroline.

— Ça veut dire quoi « pas tout à fait » ?

— Nous avons été refoulés au métro Rambuteau, répondit Alex en venant au secours de son amie.

— Et vous n'avez rien vu ?

— Non, sauf quelques pauvres gens que la police venait d'arrêter, poursuivit le garçon.

— Et puis ?

— Et puis rien, ajouta Caroline en reprenant ses sens. On a pris le métro lorsqu'on nous l'a permis, pour arriver avant mamie et papy.

Catherine se calma. Elle comprenait à

quel point il était ridicule de harceler ainsi deux enfants. Quant à Caroline, elle était heureuse de s'en sortir à si bon compte, sans rien dévoiler de leur enquête. Juliette reprit de nouveau les choses en main.

— Bon ! Il faut penser à manger, on a besoin de prendre des forces. Nous avons une longue journée à affronter avant l'arrivée de Jacques. Ça va lui faire changement de s'occuper un peu de ses parents. Il a beau habiter Montréal, ce n'est pas une excuse. Paris, ce n'est pas à l'autre bout du monde. Merde !

— Juliette ! Attention à ce que tu dis, lança Catherine en indiquant Caroline du regard.

— Quoi ! La petite peut comprendre ça, non ? Bon, alors, tu as quoi à manger ? dit-elle.

Juliette ramassa le sac à provisions d'Édouard et se dirigea vers la cuisine.

— J'ai de la soupe aux légumes verts au congélateur. Tu peux en décongeler pour ceux qui en veulent. Il y a aussi du jambon, des fromages, plein de charcuterie et du pain aux noix.

— C'est parfait ! Avec ce que mon frère a acheté, nous allons pouvoir nous faire un bon petit repas. De toute façon, tel que je le connais, il serait insulté si on laissait son vin et ses fromages de côté sous prétexte qu'il est hospitalisé.

La famille mangea sur la terrasse. Dans cette maison, on vivait dehors durant l'été. Les chats, repus, dormaient ici et là dans le jardin. Seule Panthère Noire effectuait une tournée à intervalles réguliers, comme pour indiquer que la table extérieure faisait partie de son domaine. Mais trop lourde, ou dégoûtée par la soupe aux légumes verts, elle abandonnait chaque fois l'idée de s'installer parmi les plats.

Catherine, Alice et Thierry se rendirent ensuite au chevet d'Édouard. Le personnel de l'hôpital mettait un petit salon à la disposition de la famille et cette dernière pouvait rester aux côtés du malade, le temps qu'il soit hors de danger.

Comme Alex ignorait comment se servir du lave-vaisselle, il lava les assiettes et rangea ensuite les plats dans le frigo. Pendant ce temps, Juliette dormait dans le jardin, sur une chaise longue et Caroline s'était réfugiée dans le bureau. Le jeune homme la rejoignit ; il espérait y passer la nuit à l'abri des chats qu'il ne considérait pas encore comme de simples gentils minous.

Contre toute attente, Caroline semblait très calme. Elle était déjà en pyjama, assise en indien au milieu du matelas posé sur le sol.

— Aide-moi à faire le point, lui demanda-t-elle lorsqu'il entra.

— Difficile, il s'est passé tellement de choses. Et l'agression de ton grand-père vient tout changer.

— Ce serait prématuré, à ce stade de l'enquête, d'affirmer que cette agression est reliée au vol. C'est peut-être l'effet du hasard. Papy devait venir nous rejoindre pour manger. Il est plutôt allé faire des courses. Un vaurien l'aura agressé pour lui prendre son portefeuille. Papy a la fâcheuse habitude de toujours se balader avec beaucoup d'argent sur lui. Parce qu'il était policier, il se croit plus fort que les voyous. Mamie l'a assez sermonné à ce propos.

— Il y a un lien entre ces deux événements ; moi, j'en suis convaincu. Et c'est la même personne qui l'a attaqué de nouveau.

Pourquoi, je l'ignore, mais j'ai l'impression qu'il s'agit d'une vengeance.

— Tu as peut-être raison. Et je suis toujours persuadée que l'on cherche à nous impliquer dans cette affaire. C'est la preuve qu'on veut s'en prendre à lui et à sa famille. D'après toi, papy s'en remettra ? demanda-t-elle les larmes aux yeux.

— Tu veux qu'on aille le voir demain ? lança-t-il en attirant sa tête sur son épaule.

— Oui. Tu es gentil, répondit-elle en se blottissant davantage contre lui.

Un long silence suivit. Caroline avait jusque-là essayé de garder la tête froide, mais elle ne pouvait plus parler et encore moins réfléchir. Elle avait complètement oublié l'arrivée de son père dans quelques heures à peine. Elle se réfugia au creux de l'affection d'Alex, l'esprit préoccupé par son papy, inconscient sur un lit d'hôpital. Alex respecta ce silence. D'ailleurs, il était, lui aussi, secoué par tous ces malheurs qui s'étaient abattus sur les grands-parents de Caroline. En même temps, il était persuadé que l'escouade 06 pouvait faire quelque chose, mais comme il ne connaissait ni la famille de la jeune fille ni ce pays, ils risquaient de nuire au déroulement de l'enquête. Le sommeil le gagnait tranquillement quand, tout à coup, Caroline le sortit de sa torpeur.

— C'est bien Stéphane que j'ai vu cet après-midi.

— Tu en doutes encore, réussit à articuler Alex.

— Non. Il faut que ce soit lui, parce que ça se tient. À l'aéroport, il semblait beaucoup s'amuser avec mon porte-clés. Ensuite, il a menti à papy en affirmant qu'il se rendait à Bruxelles. Il n'y avait aucun vol pour Bruxelles à ce moment-là, je viens tout juste de téléphoner à l'aéroport. Mais pourquoi se trouvait-il là ? Sûrement pas pour nous. Il avait sans doute un rendez-vous avec quelqu'un d'autre...

— Oui, mais avec qui ?

— Je l'ignore. Ce dont je suis certaine, c'est de l'avoir vu cet après-midi.

— Tu crois que c'est lui qui a attaqué ton grand-père ?

— Il se trouvait dans le même secteur, non ? Et il a fui lorsqu'il m'a vue. Eh ! Attends un peu. Je crois qu'il se dirigeait vers le Centre Pompidou. Et le mot *escalator* fait partie de l'énigme tout comme le mot *poupée*. J'ai l'impression qu'on cherche à nous mettre sur une piste.

— Pourquoi, selon toi ?

— Je ne sais pas. Comme je ne sais pas si Stéphane a eu le temps d'agresser papy entre le moment où je l'ai aperçu et le moment où nous avons pris le métro.

— Pourquoi pas. On a mis une heure et demie pour manger.

— *Gastéropode. Poupée. Escalator. Tampura*. Merde ! lança Caroline, furieuse de ne rien comprendre à cette énigme.

Caroline sentait bien que plus ils essayaient d'établir des liens entre ces mots, plus c'était obscur. Aucune piste. Une sonnerie particulièrement remarquable, celle du cellulaire de Sébastien, réveilla Juliette. Celle-ci lui demanda si c'était Catherine. Il lui répondit que non, tout en s'éloignant du salon où il regardait un film. Caroline et Alex tendirent l'oreille. L'attitude de Sébastien aussi les intriguait. « Mais à quoi as-tu pensé ? Tu devais juste leur faire peur pour qu'ils nous foutent la paix... » Caroline et Alex ne connaissaient pas l'identité de l'interlocuteur, mais ils étaient persuadés qu'on parlait d'eux. « Ma cousine n'a pas la réputation d'être une lâcheuse. Et puis, avec son petit ami, elle est encore plus frondeuse... Je sais que c'est toi qui décides... Tu les as vus sur Rambuteau ? O.K. Je m'occupe d'eux. Mais à l'avenir, sois plus prudent. Sinon, je vais m'adresser au patron... Oui. C'est la foire, ici... Oui ! O.K. Steph ! J'arrive. »

— C'était qui ? demanda Juliette.

— Un ami qui voulait des renseignements à propos d'un appartement libre dans le secteur. Il cherche quelque chose en banlieue, pas trop cher et pas trop loin de Paris. Je lui ai parlé des embouteillages sur la A4, mais il conduit une moto de 450cc, alors... Bon, j'y vais moi. Je ne rentrerai pas trop tard. Je voudrais être là quand mes parents rentreront pour avoir des nouvelles de papy.

— Veux-tu m'apporter le téléphone au cas où Catherine appellerait ?

— Mais oui, ma tata préférée, lui dit-il en posant le téléphone portable près de sa chaise.

— Merci, mon grand ! lui dit-elle. Tu es toujours aussi gentil, toi. Certains n'aiment pas ton sens de l'humour, mais moi je l'ai toujours apprécié.

Le mouvement de ses mains donnait vie à ses nombreuses bagues. Le garçon lui sourit avec gentillesse.

— Bon ! J'y vais, dit-il en sortant.

— As-tu vu Caroline et Alex ?

— Non. Je crois qu'ils sont allés marcher en direction du centre-ville, fit-il, mentant effrontément à sa tante.

— Sois prudent !

— Mais oui ! À tout à l'heure. Et repose-toi. Il fait si chaud !

Il était à peine sorti que Juliette ronflait déjà. Malgré ses préoccupations, Sébastien ne put s'empêcher de rire en enfourchant sa moto. Son grand-père avait le ventre qui dansait, et la sœur de celui-ci avait les doigts atteints d'une danse de Saint-Guy, comme une danseuse espagnole embarrassée par ses castagnettes dorées. « Quelle famille ! » pensa-t-il.

Caroline et Alex restèrent sidérés. Leur attention était concentrée sur Stéphane, mais voilà que Sébastien semblait mêlé à cette histoire. Selon la conversation qu'ils avaient entendue, Stéphane se trouvait bel et bien dans le secteur Rambuteau en fin d'après-midi. Caroline n'avait donc pas rêvé.

— Qu'est-ce qu'on fait maintenant ? demanda Alex, complètement réveillé en raison de ce qu'il venait d'entendre.

— Je ne sais pas, répondit Caroline.

— Il va falloir garder ton cousin à l'œil. Il est évident qu'il sait beaucoup de choses. Notre visite au musée a dû déranger ses plans, les siens et ceux de Stéphane.

— Je persiste à croire qu'ils s'attendaient à ce qu'on y aille.

— Peut-être voulaient-ils nous faire peur ?

— Je pense qu'il faut fouiller la chambre de Sébastien.

— Oui, mais comment sortir d'ici ? Ta tante est sur la terrasse et elle pense que nous sommes en train de nous promener en ville.

Juliette rentra au même moment, puis s'installa devant le téléviseur. Elle augmenta le volume au maximum pour se tenir éveillée.

— Viens, c'est le moment ! dit Caroline.

La jeune fille saisit la main d'Alex. Les deux enquêteurs sortirent par la terrasse et longèrent le mur aux oiseaux. La chambre de Sébastien était la seule pièce au rez-de-chaussée de cette drôle de maison. On y avait accès par l'entrée principale. La chambre était vaste et encombrée, et dans l'obscurité totale, car aucune fenêtre ne l'éclairait. De toute façon, il faisait déjà nuit. Alex chercha le commutateur, mais trouva une lampe de poche accrochée au chambranle de la porte. Une mesure de sécurité sans doute. Deux ordinateurs occupaient le centre de cette pièce. Un portable était placé bien en évidence sur le lit, parmi divers papiers. Et plein d'instruments de musique gisaient sur le sol. Une batterie, qui n'avait pas servi depuis longtemps, vu l'épaisse couche de poussière qui la recouvrait, traînait dans un coin de la chambre. Au-dessus du lit, une trompette était suspendue par du fil de pèche. D'autres objets hétéroclites semblaient provenir d'une époque révolue : des tambours, une vielle à roue et un luth. Bref, un capharnaüm incroyable. Ils effacèrent toutes traces de leur passage et regagnèrent le bureau par le même chemin qu'ils avaient emprunté.

Juliette s'était endormie devant la télé.

— Qu'en penses-tu ? demanda Alex, une fois assis sur le matelas du bureau.

— As-tu vu le nombre d'instruments de musique ? Je ne comprends pas pourquoi Sébastien collectionne ces vieux trucs. Je n'ai jamais entendu dire qu'il était musicien.

— Moi, j'ai trouvé une photo sur son lit. Elle représente un musicien ambulant tout habillé de blanc et jouant d'un drôle d'instrument en public.

— Mais c'est derrière le Centre Pompidou ! On voit l'escalator qui mène aux salles d'exposition. Et l'instrument, c'est une sorte de luth... Je ne réussis pas à voir s'il s'agit d'un garçon ou d'une fille. Mais c'est durant la période estivale, regarde les vêtements des touristes...

Caroline se tourna vers Alex et s'aperçut qu'il avait sombré dans un sommeil profond. Elle lui posa un baiser sur les cheveux tout en lui soutirant un oreiller sans le réveiller. « Au moins, son ami n'aura pas à dormir avec Noiraud-le-chat, pensa la jeune fille. Le félin l'attendait certainement là-haut. » Elle s'étendit sur le sol avec un papier et un crayon pour mieux réfléchir. C'est ce que lui répétait constamment son professeur de français. « On ne pense bien qu'avec un crayon ! » Mais elle s'endormit, elle aussi, avant le retour de la famille et sans parvenir à aucune conclusion.

7

Le Tampura

Le lendemain, Spider Black réveilla Alex. L'animal fixait son oreiller de façon non équivoque. Les deux autres chats entrèrent dans le bureau pour imiter leur petit copain, et semblaient vouloir se disputer non seulement son oreiller, mais aussi son pyjama. Le jeune homme se leva en un temps record et leur concéda volontiers les objets convoités.

Le temps de s'habiller, et il sortit sur la terrasse. Caroline était déjà dans la piscine. Il traversa en courant le sentier de guêpes pour la rejoindre.

— Salut ! Bien dormi ? Allez, viens nager un peu, l'eau est très chaude.

— Je ne peux pas, je n'ai pas apporté de maillot.

— Ce ne sont pas les maillots de bain qui manquent ici. Il y en a plein à sécher sur la terrasse.

Une autre belle galopade dans le sentier bourdonnant. Il choisit le seul maillot qui pouvait lui aller. Rouge à pois blancs... « Probablement à Thierry », pensa-t-il. Il avait rapidement saisi son sens de l'humour dès son arrivée à Noisy. Il enfila le vêtement sous le regard des trois chats qui semblaient apprécier le spectacle. De nouveau, Alex courut vers la piscine.

C'est dans un éclaboussant plongeon qu'il alla rejoindre Caroline, qui feignait de dormir, étendue sur un matelas gonflable en forme de grenouille. Elle mit fin à sa session de bronzage et plongea afin d'attraper les pieds d'Alex. Un baiser sous l'eau, à l'abri des regards et du soleil cuisant, et retour à la grenouille qui fut chaudement disputée. Bon joueur, Alex aida Caroline à monter sur le matelas vert aux yeux démesurés. Il y grimpa ensuite. Ils se laissèrent ballotter un bon moment par les vagues déclenchées par leur lutte amicale, toute en tendresse. Mais la réalité les rattrapa vite ; Alex questionna son amie sur le silence des lieux.

— Tout le monde est parti ?

— Oui. Catherine et Thierry travaillent aujourd'hui. Ils m'ont laissé un mot : mamie est au chevet de Papy, et Juliette devait passer chez elle avant de les rejoindre.

— Bon !

— Mamie semblait moins inquiète au sujet de papy. Elle lui fait tellement confiance. Dès qu'il sera sur pieds, elle sait qu'il se lancera dans l'action. Être enquêteur, c'est pour lui une seconde peau.

— Oui, mais là, c'est lui qui s'est fait piéger.

— Je le sais. Mais c'est un géant. Il va s'en sortir et gare à ceux qui l'ont agressé.

— C'est certain, marmonna Alex, histoire d'encourager sa petite amie. Que faisons-nous maintenant ? Tu y as réfléchi ?

— Je suis persuadée que Sébastien est impliqué jusqu'au cou dans cette histoire. Je n'ai plus aucun doute depuis notre visite dans sa chambre. Hier soir, pendant ton sommeil, j'ai mis sur papier tous les faits et les indices que nous avons recueillis. Au fait, Sébastien n'est pas rentré de la nuit. C'est la première fois que ça lui arrive selon Catherine. Thierry, lui, croit qu'il s'agit d'une escapade de jeune. Je les ai entendus lorsqu'ils prenaient leur petit déjeuner ce matin. Ils ont essayé de le joindre sur son cellulaire, mais comme d'habitude, il était fermé. Sébastien les juge trop sévères et, en outre, il déteste être dérangé par ses parents. J'ai laissé mes notes dans le bureau. Je vais les chercher. Ça va nous aider à établir le plan de la journée.

Elle quitta aussitôt la piscine et Alex s'étendit sur le matelas-grenouille. En fermant les yeux, l'adolescent s'endormit, enveloppé par le soleil et bercé par l'eau de la grandiose piscine, entourée de vieilles pierres aux reflets rosâtres.

En entrant dans la maison, Caroline eut la surprise de se trouver face à face avec Sébastien qui venait tout juste d'arriver. Il avait le visage frais, comme s'il avait dormi dans un hôtel quatre étoiles. Le garçon tenait un revolver à la main et l'examinait comme un enfant peut admirer un nouveau jeu électronique.

Son visage devint blanc quand il aperçut sa cousine. Il affichait un regard impossible à saisir, menaçant, ironique, déterminé. Un regard qui aurait voulu avoir l'effet d'un coup de poing.

— Tiens ! Ma cousine ! Tu n'es pas à Paris avec ton petit chien de poche que tu appelles Alex ? Viens, je t'emmène, dit-il en pointant son revolver sur elle. Ma moto est encore chaude... Je te promets une balade inoubliable. Va t'habiller ! Laisse Alex se reposer... J'aimerais bien passer quelques heures en tête à tête avec ma chère cousine, ajouta-t-il en la poussant vers le bureau. Tu peux apporter ton escargot en latex si tu veux, les filles ont toujours besoin d'une poupée... Je vais te présenter un ami ; il joue d'un instrument que tu ne connais sûrement pas. Derrière le Centre Pompidou. Vite, avant que ton protégé se réveille... Je t'attends ici. Laisse la porte ouverte, je ne regarde pas...

Caroline n'avait pas peur, malgré le ton autoritaire de Sébastien. Bien au contraire, l'attitude de son cousin l'incitait à poursuivre son enquête. Elle essaya d'attirer l'attention d'Alex. Peine perdue, il dormait, un bras autour d'un des gros yeux de la grenouille, maintenant amarrée à l'ombre d'un gros chêne qui lançait ses branches sur le tiers de la piscine, comme un énorme parasol. Elle eut cependant l'idée de lui écrire un mot ; elle attacha le papier au collier de

Noiraud-le-chat qui, de toute évidence, était devenu l'ami d'Alex. *Je vais à Beaubourg. Code bleu.* Dans l'avion, ils avaient convenu de certains codes en parlant de l'escouade 06. Le bleu : Viens me rejoindre. Le vert : Tout va bien, continue l'enquête de ton côté. Le jaune : Je suis sur une piste, attends de mes nouvelles. Le rouge : J'ai un urgent besoin de ton aide, mais n'en parle à personne. Le noir : Appelle la police.

Quelques minutes après, Caroline quittait sa chambre en compagnie de Sébastien qui affichait toujours un étrange sourire. Elle enferma Noiraud-le-chat dans le bureau afin qu'Alex puisse trouver son message à son réveil.

Sébastien la coiffa d'un casque, enfourcha son bolide et lui ordonna de s'installer derrière. Même si elle avait toutes les raisons pour ne pas obéir, elle passa ses bras autour de la taille de son cousin. Une vraie bombe, cette moto. L'autoroute A4 était bloquée à quelques kilomètres de l'entrée qui donnait accès à Paris. Un accident. Au grand désarroi de sa passagère, Sébastien fit du slalom et, se faufilant à vive allure entre les voitures immobilisées, il prit d'assaut les rues de la Ville lumière, vers le quartier du Marais. Il ignora les feux de circulation à plusieurs reprises et n'hésita pas à rouler sur les trottoirs à une vitesse folle ou à emprunter les couloirs réservés aux autobus. Cette course périlleuse força Caroline à se blottir contre Sébastien et à se cacher la tête entre ses omoplates, tant elle préférait ne pas être consciente du danger auquel elle était soumise.

Ils arrivèrent derrière le Centre Pompidou en moins de quarante minutes, en plein dans le quartier de leurs grands-parents.

***

Une douche froide réveilla Alex. En effet, au bout de la piscine, au creux de l'ombre du grand chêne, coulait une fontaine. Un jet simple et ample jaillissait de la gueule d'un lion de ciment : Alex le prit en pleine figure. L'adolescent sursauta et la brusque secousse fit tanguer la grenouille aux gros yeux et provoqua la chute de son passager. Dès qu'il revint à la surface, Alex remarqua l'absence de Caroline ; il courut vers la maison et passa à travers le sentier des guêpes, lesquelles prenaient leur déjeuner sous un soleil de plomb.

Il trouva tout de suite le message de la jeune fille attaché au collier de Noiraud-le-chat, qui l'attendait impatiemment. « Code bleu. » Il savait fort bien, connaissant son amie et sa témérité, qu'elle n'oserait jamais employer le code rouge, ni le noir. Il libéra le félin, qui n'attendait que cette marque de reconnaissance. Alex enfila ensuite un jean et lança le maillot à pois sur la terrasse.

***

Sébastien déposa Caroline sur la place, puis alla garer sa moto un peu plus loin. La chaleur devenait de plus en plus insupportable. Attirée par la foule et la musique, Caroline s'avança pour mieux voir les gens qui s'y agitaient. À l'arrière-plan, l'escalator vitré conduisait les visiteurs vers les salles d'exposition du Centre Pompidou. Elle se fraya un chemin à coups de coudes et d'épaules vers l'amuseur public. Habillé de blanc, le jeune homme chantait tout en s'accompagnant d'un drôle d'instrument.

Dès que le chanteur remarqua sa présence, il mit fin à sa prestation. Il rangea vite son instrument, sans se préoccuper des curieux, intéressés par sa musique et ses chansons. Certains lui remettaient des pièces ; l'œil absent, il les fourrait dans ses poches sans même dire merci. La foule le retint tout de même quelques minutes. Caroline avait déjà repéré un téléphone. Sans penser aux conséquences possibles de son geste, elle courut téléphoner à l'hôpital. Pourquoi à l'hôpital, elle n'en savait rien. Une intuition. Dès qu'elle eut la préposée au bout du fil, elle lança aussitôt : « De Caroline à Édouard de Grandmaison. Je suis prise par *Tampura*. Centre Pompidou... » Elle eut à peine le temps de raccrocher que le chanteur habillé et maquillé de blanc lui attrapait le bras.

— Tu ne me reconnais pas ? L'aéroport de Paris ? Tu te souviens ? Tu ne pensais pas me retrouver ici, non ? Allez... Un petit effort, fit Stéphane, l'œil menaçant.

— Difficile de te reconnaître ainsi déguisé, osa-t-elle répondre, malgré le regard inquiétant de l'homme.

— C'est mon costume de scène et de travail, répondit-il en lui adressant un sourire ironique. Viens, je connais un endroit tranquille où nous pourrons jaser et mieux faire connaissance...

— Je ne peux pas, j'attends Sébastien, mon cousin. Il est allé garer sa moto. D'ailleurs, il devrait déjà être revenu.

— Ne crains rien, il saura bien où nous trouver. Il ne voudrait certainement pas perdre de vue sa cousine préférée... Je vois que tu trimballes toujours ton petit escargot avec toi... Il pourra sans nul doute te protéger des gros méchants loups de Paris, ajouta-t-il avec un sourire sans chaleur.

Caroline remit sur-le-champ le porte-clés dans son sac, se reprochant même de l'avoir apporté. « Ça ne fait pas très sérieux lorsqu'on est sur une enquête. »

— Tu viens ? lui demanda-t-il.

Le jeune homme lui saisit la main sans attendre sa réponse. Même si elle le savait inefficace, l'adolescente répéta le même argument.

— Mais Sébastien va me chercher partout, répondit-elle.

Stéphane entraîna Caroline vers une destination encore inconnue. Elle regrettait de ne pas avoir laissé un code *rouge* ou *noir* à Alex. Son instrument en bandoulière, Stéphane la retenait solidement par la main et la guidait vers la rue Beaubourg. Les promeneurs sur la place n'auraient pu deviner que la jeune fille était conduite contre son gré. On aurait plutôt cru qu'il s'agissait d'un couple de saltimbanques qui se dirigeait en hâte vers le lieu de leur prochain numéro.

***

Alex fit le tour de la place plusieurs fois. Aucune trace de Caroline ni de Sébastien. En voyant l'arrière du Centre Pompidou, il se rappela un mot de l'énigme : *Escalator*. Il s'installa sur la place en plein soleil et attendit. Rien. Personne. Il avait beau fixer l'escalier mécanique en verre, il n'apercevait rien de particulier, sauf des centaines de gens vêtus aux couleurs chaudes de l'été qui l'empruntaient, appareil photo à la main. Personne ne semblait redescendre par ce chemin, comme si l'ascension de cet édifice était le dernier voyage vers un monde idyllique.

***

Pendant ce temps, à l'hôpital, Juliette faisait tout un esclandre parce que la préposée à l'accueil lui défendait d'accompagner Alice au chevet d'Édouard. « On m'interdit de voir mon frère », lançait-elle à tous les infirmiers qu'elle rencontrait sur son passage. « Un ordre formel des médecins », lui répondait-on. « Un ordre formel... des médecins... On va m'entendre ! » Elle dut battre en retraite, non sans noter les noms de quelques employés au fur et à mesure qu'elle les lisait sur leur uniforme. « Votre nom se rendra en haut lieu, madame ! Vous regretterez votre geste, monsieur. Mon propre frère ! Quand j'y pense. » Elle abandonna, convaincue qu'elle serait entendue au ministère et dans certains journaux où elle avait fait carrière comme chroniqueuse.

Après s'être perdue dans les couloirs de l'hôpital, ce qui eut pour effet de l'apaiser — une colère en chasse habituellement une autre — elle eut l'idée de se rendre chez son frère, rue Beaubourg, histoire de mener sa propre enquête. Ces chenapans avaient peut-être volé autre chose... Le sucrier aux multiples dorures qu'elle avait offert à Alice au retour de l'un de ses nombreux voyages en Grèce. Et le cendrier en cuivre qu'elle avait rapporté à Édouard... L'enregistrement d'une entrevue qu'elle avait accordée à la télévision à la suite d'un court métrage qu'elle avait réalisé, le seul de sa carrière, d'ailleurs. Le sujet portait sur ces femmes qui avaient quitté leur pays pour fuir la guerre et qui aboutissaient ensuite en France, alors que la République plongeait graduellement dans un conflit mondial. *D'une guerre à l'autre* en était le titre. Elle voulait s'assurer que ces trésors, selon son point de vue, n'étaient pas tombés entre les mains des voleurs. Elle avait les clés de l'appartement puisqu'elle en avait la responsabilité lorsque Alice et Édouard partaient pour le Québec.

C'est en agitant ses bagues au soleil qu'elle héla un taxi.

***

Dans la chambre d'Édouard, Alice, assise confortablement dans un fauteuil en cuir verdâtre, s'affairait à la broderie d'un grand lys, le plus grand qu'elle n'eût jamais réalisé. Un vague sourire conférait un air coquet à ses lèvres minces. De temps à autre, elle sortait un petit mouchoir brodé de la manche de son chemisier et le passait sur sa bouche, comme pour y effacer le sourire qu'elle ne pouvait pas contrôler...

— Tu as ma montre avec toi, lui demanda Édouard, étendu sur le dos, les mains jointes sur son ventre ?

— Oui. Elle est dans mon sac.

Elle n'eut pas le temps de se lever. Un préposé à la carrure d'un militaire, en sarrau blanc, se leva et prit la montre. Il l'examina et la passa ensuite au poignet d'Édouard qui ouvrit les yeux.

— Merci, Fabien. Je n'arrive pas à penser sans ma montre.

Il esquissa un large sourire et referma les yeux au moment où une aide-infirmière entrait pour changer les draps. Fabien lui indiqua clairement que ce n'était pas le temps. Devant l'imposante stature du policier qui s'était déguisé en préposé, l'aide-infirmière n'insista pas. Fabien replaça sa chaise devant la porte. Dans le lit, le ventre d'Édouard avait commencé une danse qui, bien que retenue, le caractérisait bien.

De Noisy-le-Grand
à Paris

Le soleil se couchait sur Noisy-le-Grand lorsque Catherine rentra à la maison. Une maison silencieuse. Thierry arriva quelques minutes après.

Elle eut beau lui faire part de son inquiétude, son mari resta indifférent, fourbu par les animations qu'il avait faites durant la journée. « Des gens qui ne comprennent rien à l'informatique ni au théâtre », rumina-t-il tout en cherchant dans les affaires de Sébastien de quoi se rouler une cigarette. Il s'installa confortablement, les deux pieds sur la télévision qui lui servait habituellement de pouf, car il l'avait simplement déposée sur le plancher. En quelques minutes, il dormait, sa cigarette éteinte au bout des doigts.

Catherine, épuisée après une journée éreintante, en profita pour téléphoner à l'hôpital. Elle ne put s'entretenir avec sa mère, mais l'infirmière lui confirma cependant que l'état de son père allait en s'améliorant. Elle trouva une note d'Alex sur la table de la salle à manger. « Nous sommes à Paris. De retour en fin de soirée. » Le billet laissé par Alex obéissait ainsi au code *bleu* de Caroline. Sans s'inquiéter, après avoir mangé une banane et un yogourt, Catherine s'étendit sur l'un des canapés du salon. Elle s'endormit, elle aussi.

***

Découragé par les piètres résultats de ses recherches, Alex rentra à Noisy par le dernier RER. Il n'osa pas réveiller Catherine et Thierry, même s'il aurait aimé leur faire part de son inquiétude à propos de Caroline. À dire vrai, il craignait encore plus leurs questions. Il se réfugia dans le bureau, où il trouva Noiraud-le chat. Seule sa tête dépassait du pyjama dont il se servait comme abri. Alex s'étendit sur le lit en ayant soin de ne pas déranger son nouvel ami. Plus les heures passaient, plus son inquiétude grandissait. Il passa en revue tous les événements et se concentra surtout sur l'étrange disparition de Caroline. Il n'osa pas allumer la lumière. Seuls les yeux verts de Noiraud-le-Chat l'éclairaient. Il eut l'idée de vérifier son collier au cas où il serait porteur d'un nouveau message. Rien. Le concert continu des oiseaux qui avaient réintégré leurs nids dans le mur de pierres, à quelques mètres du bureau, eut raison de sa détermination. Il s'endormit à son tour.

Il se réveilla d'un bond lorsqu'il sentit une masse qui se laissait tomber sur le lit.

— N'allume pas, c'est moi, Sébastien.

Mais qu'est ce que tu fais là ? Et où est Caroline ?

— Je ne sais pas. Pour l'instant, aide-moi.

Sébastien alluma une des nombreuses bougies posées sur le bureau avant de se laisser tomber de nouveau sur le lit, ce qui chassa définitivement Noiraud-le-Chat.

— Mais as-tu vu ton visage ? réussit à articuler Alex.

— Non. Mais j'ai mal. À la main aussi. Il y a des pansements dans la pharmacie juste à côté de la porte du bureau. Attention, il ne faut surtout pas réveiller mes parents. Vite ! Dépêche-toi !

Alex revint avec des bandages et de la crème antibiotique. Sébastien faisait peine à voir : l'œil gauche rouge de sang, une entaille à la joue et sa main droite, rougie elle aussi, semblait paralysée.

Sur les indications de Sébastien, Alex s'employa à panser ses blessures. Sa colère grandissait au fur et à mesure qu'il appliquait pommade et bandages.

— Qu'est-il arrivé à Caroline ? Dis-le, sinon je te bousille l'autre œil !

— J'aimerais bien le savoir, mais je suis presque certain qu'elle ne risque rien. J'en suis même sûr.

— Et toi, quel est ton rôle dans cette affaire ?

— C'est une longue histoire. Mais crois-moi, Caro ne risque rien.

— Que s'est-il passé pour que tu sois dans un tel état ?

— Un accident de moto, répondit Sébastien, après un moment d'hésitation.

— Je ne te crois pas, répliqua Alex.

Le jeune homme lui appliqua en hâte un pansement sur l'entaille qu'il avait à la joue.

La douleur arracha un cri à Sébastien, si aigu qu'il fut suffisant pour réveiller Catherine. Sa mère resta sidérée en voyant dans quel état se trouvait son fils. Elle l'amenait au salon au moment où Thierry sortait d'un profond sommeil. Le regard interrogateur de son père croisa celui de Sébastien et le garçon sentit le besoin de donner quelques explications à ses parents.

— J'ai eu un petit accident de moto. Ne t'en fais pas, la moto n'a rien et moi, juste quelques égratignures.

— Si tu conduisais plus prudemment aussi, lança Catherine, tout en défaisant les pansements qu'Alex avait faits si maladroitement.

Sans prononcer un seul mot, Thierry se rendit à la cuisine pour se préparer un thé.

Durant ce temps, Alex en profita pour aller examiner la moto de Sébastien. Comme il l'avait deviné, aucune égratignure ni aucun signe d'accident n'était visible sur la moto. Elle était toujours aussi rutilante, même au petit matin, dans ses tons de vert et de violet. Il rentra avec la ferme intention d'interroger Sébastien. Pourquoi ce mensonge ? Et la disparition de Caroline...

Il était six heures du matin. Alex n'avait pas de nouvelles de son amie depuis plus de vingt heures.

De retour à l'intérieur de la maison, le jeune homme trouva Thierry, assis à la table de la salle à manger, la tête penchée au-dessus de sa tasse de thé, comme s'il pouvait y lire son avenir. Catherine parlait au téléphone à l'étage supérieur. Alex éprouvait de la difficulté à entendre ce qu'elle disait. Il ne tarda toutefois pas à saisir ses propos. Catherine, le visage en feu, pénétra dans le salon en brandissant le téléphone à bout de bras.

— Impossible de m'entretenir avec ma mère. On me répond qu'elle se repose. Thierry, tu pourrais faire quelque chose, il me semble. Je suis inquiète. Mon père a été agressé... je ne peux pas parler à ma mère et ton fils a eu un accident de moto. Et, toi, tu dors...

— Je ne peux rien faire de plus que toi ! Tes parents sont en sécurité et Sébastien n'a rien de grave. Nous ne pouvons qu'attendre.

— C'est ta façon de voir les choses. Personne n'est mort, donc tout va bien. Et, je n'arrive pas à joindre Juliette non plus. Elle ne ferme jamais son portable. En plus, on a Caroline et Alex sur le dos. D'ailleurs, je ne l'ai pas vue, Caroline, ce matin. Elle doit dormir dans la chambre sous les combles. Tu l'as vu, Alex ?

— Non, répondit-il, décidé à tout mettre en branle pour retrouver son amie. Elle n'est pas rentrée de la nuit.

— Comment ça, elle n'est pas rentrée de la nuit ?

— Elle a dormi chez une amie avec qui elle avait rendez-vous, répondit Sébastien qui revenait à ce moment précis dans la salle à manger, sauvant ainsi la situation.

— Je commence à avoir hâte que son père arrive, à celle-là. C'est vrai, à la fin, elle a besoin d'être encadrée et ce n'est pas ma responsabilité. Découcher sans nous avertir, sans nous dire où on peut la joindre. Tu le sais, toi, Sébastien ?

Celui-ci ne répondit pas.

— Tu te rends compte, Thierry ? Personne ne sait où elle est. À peine quinze ans et perdue dans Paris...

Elle se retourna vers son fils, l'air décidé :

— Toi, remonte te coucher. Tu as l'air d'un cadavre.

Sébastien pensa qu'il était plus sage d'obéir que d'argumenter. Catherine se prépara du café et prit quelques tranches de jambon au frigo, d'un geste rapide et énergique. Alex suivit Sébastien.

— Et alors ? Ta moto, elle se porte plutôt bien... Aucune trace d'accident.

— Oublie l'accident de moto. C'est un prétexte.

— C'est donc toi le responsable de la disparition de Caroline !

— Non, je n'ai rien à voir avec ça !

— Je ne sais pas ce qui me retient...

— Attends ! s'écria Sébastien. J'ai laissé Caroline à côté du Centre Pompidou pour aller ranger la moto, mais quelqu'un m'attendait au stationnement. On a voulu me faire comprendre que j'avais commis quelques erreurs de parcours.

— Qui ça, on ?

— Tu ne les connais pas et c'est une longue histoire.

— J'en ai assez de tes longues histoires. Qu'est-il arrivé à Caroline ? Elle n'est peut-être que ta cousine, mais pour moi... Et son père qui doit être ici dans quelques heures... Toute cette affaire est liée au vol chez ton grand-père, j'en suis persuadé et tu vas parler...

Alex lui sauta dessus sans lui laisser le temps de répondre. Malgré sa petite taille, il le frappa à la figure sans prêter la moindre attention à son visage blessé. Sébastien, beaucoup plus fort qu'Alex, aurait pu s'en défaire d'un seul coup de poing, mais il se laissa cogner sans riposter. Il attendit qu'Alex se calme.

— Je crois avoir ma petite idée pour la retrouver. C'est probablement ceux qui m'ont tabassé qui l'ont enlevée. Ils ne lui feront pas de mal, j'en suis sûr, parce qu'elle n'a rien à voir là-dedans. Mais nous devons sortir d'ici pour la secourir. Par contre, mes parents ne voudront jamais, ma mère surtout. Et ne t'en fais pas, je suis capable de conduire ma moto.

— Je vais trouver une solution, mais gare à toi si tu mens...

Alex lui montra le poing au moment de quitter la chambre. Il n'avait cependant aucune idée de l'histoire qu'il allait raconter à Catherine pour réussir à sortir de la maison avec Sébastien.

Rue Beaubourg — l'organisation avait remis à Stéphane les doubles des clés qu'Édouard gardait dans son bureau — Caroline était attachée au vieux fauteuil de chêne de son grand-père, un ruban adhésif sur la bouche. Impossible de bouger. Même ses pieds étaient soudés à ceux du lourd fauteuil. Elle n'avait pas dormi de la nuit. Stéphane avait été plutôt gentil avec elle. Vers deux heures du matin, il lui avait préparé un sandwich. En essayant de limiter la douleur, il lui avait retiré le ruban adhésif, puis il avait tenu le sandwich pour qu'elle en prenne quelques bouchées. Elle en avait profité pour le questionner, mais il était resté muet. Seuls quelques sourires trahissaient sa fragilité de temps à autre et l'intensité de ses émotions. Le visage de Stéphane affichait parfois l'arrogance, parfois l'incertitude. Après avoir replacé le ruban sur la bouche de Caroline, plus solidement que la première fois, il était retourné devant le téléviseur. De vieux épisodes de Maigret qu'Édouard de Grandmaison avait enregistrés. Il fumait beaucoup. À intervalles réguliers, Caroline l'entendait ouvrir le frigo pour se prendre une bière.

Caroline tressaillit d'espoir et d'effroi lorsqu'elle entendit quelqu'un ouvrir la porte d'entrée. Sa grand-mère ? Sa tante ? Elle aurait voulu bouger, faire du bruit pour avertir le nouvel arrivant de sa présence et du danger, mais elle était incapable de déplacer ce fauteuil auquel elle était rivée. Stéphane était aux aguets cependant.

Juliette fut sidérée par l'accueil qu'elle reçut. Un grand garçon au visage et au complet blanc lui ouvrit. Tout de suite, il lui indiqua le fauteuil d'Alice, devant la télévision. Habituellement volubile, Juliette resta bouche bée et s'assit sur un simple signe de la main de Stéphane. Elle eut l'idée saugrenue de sortir son portable. Stéphane s'empressa de le confisquer. Elle se laissa attacher les mains sans rouspéter, mais Juliette lui fit comprendre par signes que le ruban ne devait pas toucher à ses bagues. Stéphane respecta sa demande avec le sourire. Ensuite, il lui proposa une gorgée de bière, qu'elle refusa d'un geste de la tête. Quelques secondes après, elle eut le courage de prononcer un seul mot, d'une voix rauque : « Pourquoi ? » Pour toute réponse, Stéphane lui appliqua un ruban adhésif sur la bouche en lui entourant plusieurs fois la tête sans aucun respect pour sa coiffure qu'elle avait toujours blonde, bouffante et bouclée malgré son âge. Mais grâce à ce « pourquoi ? », Caroline savait maintenant que Juliette était la nouvelle prisonnière. Ce qui ne l'aidait d'aucune façon, puisqu'elle ne pouvait pas communiquer avec elle. De nouveau, elle entendit la télévision et le commissaire Maigret qui interrogeait un témoin.

***

Alex ne trouvait aucune raison valable pour quitter la maison avec Sébastien. Aucune idée lumineuse ne lui venait à l'esprit. Et Noiraud-le-Chat ne lui était d'aucun secours ; il ronronnait, couché à ses pieds. Il entendit soudain la porte de la maison se refermer énergiquement, puis vit Catherine et Thierry partir en voiture. Le chemin était libre. Avant de rejoindre Sébastien, il eut l'idée de téléphoner au commissariat. Il ne savait pas à qui s'adresser ni même quoi dire. Dès qu'il eut la communication, il bafouilla : « Je suis Alex, l'ami de Caroline, petite fille d'Édouard de Grandmaison. Je pars avec Sébastien à la recherche de Caroline, retenue prisonnière. C'est l'affaire des *escargots*. » Certain que les policiers ne le prendraient pas au sérieux, il raccrocha avant qu'on ne lui pose des questions. « Cet appel au commissariat ne pouvait pas nuire », pensa-t-il. Il grimpa ensuite l'escalier, suivi de Noiraud-le-Chat, et retrouva Sébastien qui s'était assoupi, probablement à cause des cachets que sa mère lui avait administrés de force.

— Viens, c'est le moment. Tes parents sont partis.

— Qu'est-ce que tu leur as dit ?

— Rien. Ils sont partis, c'est l'essentiel.

Sébastien, couché sur son bolide, et Alex, qui s'agrippait à lui de son mieux, fonçaient maintenant sur la route en direction de Paris.

Sébastien emprunta à vive allure la rue Rambuteau, qu'Alex reconnut à cause du métro. Malgré sa conduite agressive, le jeune Français fut ralenti par les nombreux passants qui n'hésitaient pas à marcher sur la chaussée. Les trottoirs étaient encombrés par les promeneurs, qui salivaient devant les vitrines des charcutiers et des pâtissiers, et de joyeux habitués, qui en étaient à leur deuxième ou troisième verre de vin de la journée.

Soudain, il tourna rue Vieille-du-Temple. Il s'engagea à pleins gaz dans une entrée de pavés, recouverte par un porche en forme d'arc dont les pierres étaient noircies par le temps. Il arrêta sa moto dans une sorte de cour intérieure qui semblait mal entretenue, compte tenu de la mousse et des mauvaises herbes qui l'envahissaient. Il entraîna Alex vers une porte de mauvais bois que plusieurs clochards se donnaient pour mission de préserver. Ils mirent du temps à dégager les deux marches encastrées dans un lourd mur de pierres. Sébastien composa le code d'entrée et tous les deux gravirent l'escalier jusqu'au quatrième étage. Des degrés sombres, à peine éclairés, malgré le soleil intense à l'extérieur. Alex trébucha à plusieurs reprises. À chaque palier, une porte se renfonçait dans un mur épais. Devant certaines de celles-ci, des chaussures ou des objets hétéroclites, tels un vieux téléviseur, une pile de livres et une toile déchirée, gisaient sur le sol.

Sébastien sonna. Deux policières les reçurent. L'une, très grande, dont les muscles et le ventre déformaient son uniforme. L'autre, petite, qui ne portait qu'un tee-shirt blanc sur son pantalon d'uniforme, pieds nus. D'une seule main, la grande attrapa Sébastien et le projeta au milieu d'une vaste pièce exempte de meubles, sinon une table basse où gisaient deux pointes de pizza entamées. Quant à Alex, la petite en tee-shirt le reçut avec une claque derrière la tête. Ce qu'il prit comme une insulte. Jamais on n'avait usé de force avec lui pour la simple et bonne raison qu'il ne faisait peur à personne. Il se retrouva tout de même au beau milieu de la pièce, le nez dans les restes de pizza. Le sort de Sébastien lui sembla moins enviable encore, puisque son compagnon s'était cogné le front sur le coin de la table. En quelques secondes, son visage était devenu l'hôte d'une nouvelle décoration de la forme d'un œuf bleu. La costaude l'agrippa par les cheveux.

— T'as rien compris hier soir, mon petit ? Tu en veux encore peut-être ? lui lança-t-elle.

La brute lui allongea un coup de poing en pleine figure ; le coup eut pour effet de lui arracher ses bandages.

— Je t'ai dit hier que nous ne voulions plus te voir, ajouta la policière en lui écrasant la tête sur la table. Aujourd'hui, tu te ramènes ici avec un avorton de ta famille, je suppose ? Comment faut-il que je te caresse pour que tu comprennes ? fit-elle en lui écrasant la tête sur la table.

— Je voulais juste...

— Tu voulais juste avoir une autre raclée de tante Olga, pour être sûr que tu avais bien compris ? Mais je vais répondre avec plaisir à ton souhait, déclara la femme en lui mettant son pied dans le ventre.

Sébastien se plaignait, recroquevillé au milieu de la pièce. Alex, lui, attendait, le nez toujours dans la pizza, la tête à peine retenue par la petite, dont les ongles d'orteils étaient laqués de vert. Pas question pour lui de bouger, car la grande était à quelques mètres. Les yeux au ras de la table, il repéra un presse-papier en marbre. L'occasion était trop belle : l'adolescent s'en saisit et, de toutes ses forces, en assena un coup sur les orteils de celle qui lui retenait le visage dans la sauce à pizza. Le long cri lancé par la policière surprit l'autre au point où Sébastien et lui furent soudainement libres. Le jeune Français entraîna Alex au fond de l'appartement vers une éventuelle sortie. Trop tard. La grande les rattrapa tous les deux. Elle avait même eu le temps de mettre sa casquette de policière.

— Allez, les enfants, allons voir Zig ; il

sera très certainement moins gentil que moi. Élise, tu viens ? Arrête de te lamenter. Ça repousse, un ongle d'orteil. Tu n'auras qu'à mettre un peu plus de vert.

— Attends, je prends mon veston.

— Tu me suis. Je m'occupe de ces deux terreurs ! Vous serez gentils, messieurs ? ajouta la femme d'un air sardonique.

Sébastien sortit alors le revolver de sa poche. Un objet dont il n'avait de toute évidence pas eu le temps de se servir.

— Oh ! Mais tu ne me fais pas peur, mon petit ! Donne-le à tatie Olga. Tu n'as pas vu que c'était un revolver jouet. Mais oui ! Une réplique, pour te donner du courage dans le travail que tu as perdu, d'ailleurs.

— Reculez ou je tire, déclara Sébastien en pointant Olga, l'air incrédule.

— Regarde si je vais reculer, répondit la grande en lui arrachant le revolver des mains. Tu vois, Élise, il ne faut pas donner ce genre de jouets à des jeunes qui se prennent pour des adultes. Alors, tu viens ? La police, ce n'est pas une agence de mannequins ! Allez, merde !

Policières et prisonniers quittèrent la

rue Vieille-du-Temple dans une voiture de police, gyrophares en action.

***

Thierry avait eu l'idée d'amener sa femme au Carrefour de Noisy-le-Grand afin qu'elle se détende un peu. À peine étaient-ils revenus du centre commercial, que Michel de Grandmaison, le père de Caroline, sonnait à la porte, avec pour seul bagage une petite valise usée jusqu'à la corde, laquelle semblait, vu son aspect, avoir fait le tour du monde. Catherine et Thierry avaient cependant eu le temps de remarquer l'absence de Sébastien et d'Alex. Ce qui avait mis Catherine dans un état d'exaspération hors de l'ordinaire. Thierry, pour la première fois, promenait autour de lui un regard inquiet. Encore fallait-il le connaître, car il avait appris, tout jeune, à cacher ses sentiments.

Michel de Grandmaison posa sa valise, embrassa sa sœur et s'informa de l'état de santé d'Édouard. Il ne prononçait plus jamais le mot papa. Ce mot était définitivement banni de son vocabulaire depuis que son père avait désapprouvé le métier qu'il avait choisi et son immigration au Québec. Édouard aurait tant aimé qu'il devienne policier, comme lui, et non un petit fonctionnaire, même au sein d'une ambassade. Depuis lors, leurs relations étaient cordiales, sans plus. Quand il parlait de son père, il disait Édouard ou mon père.

— Papa va mieux, lui répondit Catherine.

Sa soeur insista sur le mot papa, comme pour lui montrer qu'elle avait toujours gardé l'esprit filial, elle...

— Tu as des nouvelles de lui, enchaîna Michel, sans s'offusquer de la façon dont elle lui avait fait sentir qu'elle pouvait, par un simple mot, démontrer son affection pour son père.

— L'hôpital nous interdit de le voir. Je ne peux même pas parler à notre mère, qui est à son chevet jour et nuit. Je ne peux pas joindre la tante Juliette non plus. Je sais qu'elle est à l'hôpital. J'ai essayé sur son portable. Il est fermé. Ce n'est pourtant pas son habitude, elle le garde ouvert, même la nuit.

— À part ça ?

— À part ça ? À part ça, Sébastien a eu un accident de moto... Ta fille a découché cette nuit... Alex et Sébastien sont partis sans dire où ils allaient... Et Sébastien n'est pas en état de conduire. Et ta fille ! Avons-nous le mandat de surveiller ta fougueuse fille ? Et ta femme, Charlotte, l'as-tu laissée dans la soute à bagages ?

— Impossible pour elle de venir, Charlotte avait des engagements qu'elle ne pouvait pas annuler.

— Vous vous êtes séparés une autre fois ? Ça ne serait pas surprenant, ce sont les seules nouvelles que nous avons de vous deux depuis des années.

— Là, tu dépasses les bornes. D'abord, ma vie ne te regarde pas. Et c'est quoi, toute cette histoire ! Où est ma fille ?

— Je l'ignore. Elle est partie à Paris hier, avec Alex. Ce matin, je croyais qu'elle dormait là-haut, mais Sébastien et Alex m'ont appris qu'elle avait décidé de passer la nuit chez une amie. Je ne sais où. Plus jamais tu ne me reprendras à accueillir ta fille.

— Attends, Catherine, réussit à dire Thierry. Je sens que nous sommes tous un peu dépassés par cette histoire. Un vol, soit ! Une agression ensuite… Il devient évident que l'on en veut à ton père. Mais il y a d'autres choses bizarres. L'accident de Sébastien. Il disparaît ensuite avec Alex. On ne sait pas où Caroline a passé la nuit. Impossible de joindre ta mère ni même Juliette.

— Caroline n'est pas le genre à... j'ai confiance en elle...

— N'est pas le genre... J'ai confiance... marmona Catherine.

Ne pouvant plus supporter cette avalanche d'accusations, Michel de Grandmaison quitta la maison en lui lançant d'un ton sec à sa sœur :

— Je vais à l'hôpital.

De l'autre côté de la rue, face au bar-tabac, il trouva un taxi qui ne souhaitait rien de mieux qu'un trajet jusqu'à Paris. « Rapidement ! À l'Hôtel-Dieu. » Par chance, la circulation sur l'autoroute A4 s'annonçait fluide.

***

Stéphane apprit par téléphone l'arrivée du patron, Zig. Il était temps ; le jeune homme se demandait ce qu'il allait faire de Caroline et de sa tante. En vitesse, il poussa Juliette dans le bureau. De toute façon, la tante et la nièce ne pourraient pas communiquer ensemble, pensa-t-il. C'était sans compter sur l'imagination de Caroline...

Stéphane ouvrit la porte à Zig.

— Salut, Patron !

— Tu es seul ? Où est ce fouille-merde de Sébastien ?

Sans attendre la réponse, il joignit Olga depuis son portable. La conversation ne dura que quelques secondes. Impossible pour Stéphane d'en comprendre le sens.

— Je détiens Caroline et sa tante ici, patron, osa dire Stéphane.

— Eh bien ! Sébastien et un nommé Alex arrivent, accompagnés d'Olga et d'Élise. Nous voilà en pleine réunion de famille, bougre d'imbécile ! Je t'avais demandé de faire comprendre à Sébastien qu'il accumulait les erreurs, pas d'organiser une conférence ! Bien qu'une réunion de famille, ça peut avoir son charme... Je reviens dans quelques minutes.

Caroline et Juliette avaient tout entendu. En jetant un regard inquiet à sa tante, Caroline aperçut une note sur le bureau. Elle put y lire : Pour urgence, avec un numéro de téléphone. Elle reconnut l'écriture large en lettres attachées de son grand-père. Une écriture qu'elle aurait reconnue entre toutes, puisqu'il lui expédiait une carte postale presque tous les jours lors de ses voyages. Elle fit signe à Juliette. Celle-ci avait les doigts libres grâce à la gentillesse de Stéphane. Et surtout, elle n'était pas attachée à son fauteuil. Après plusieurs contorsions, Juliette arriva à la hauteur de la bouche de Caroline. Lentement, elle défit le ruban adhésif qui empêchait la jeune fille de parler. Impossible pour elle, cependant, de la libérer de ses liens. Caroline lui murmura de composer le numéro de téléphone inscrit sur le papier jaune.

Dans le salon, Stéphane avait augmenté le volume de la télé, puisque Maigret dévoilait enfin comment il avait résolu l'intrigue. Même si Juliette fit un peu de bruit en se déplaçant, Stéphane n'entendit rien. De ses doigts libres, elle composa le numéro. Elle tint le récepteur près de la bouche de Caroline qui devait parler à voix basse. « Ici le commissariat du Marais. » Caroline, surprise de cette découverte, n'hésita pas une seconde. Pas question de faire la conversation. « Ici, Caroline, petite fille d'Édouard de Grandmaison. Juliette et moi sommes retenues prisonnières dans sa maison. Zig... » Juliette raccrocha en entendant du bruit. Stéphane, des éclairs dans les yeux, saisit Juliette par le bras et la ramena à son siège sans ménagement. Ayant tout compris, il lança le téléphone au fond de la pièce. Il se retourna vers Caroline pour la bâillonner de nouveau quand l'intercom se fit entendre. Il courut répondre, déçu de ne pas avoir eu le temps de corriger cette petite prétentieuse.

Quelques secondes plus tard, Sébastien et Alex, accompagnés des deux policières, firent leur entrée dans l'appartement. Quand elle entendit la voix de son amoureux qui disait à la petite qu'il ne regrettait pas son geste, Caroline cria à tue-tête pour manifester leur présence. Mais Olga veillait... En un rien de temps, les deux femmes ligotèrent et bâillonnèrent les deux adolescents.

Mais Caroline criait toujours pour couvrir le tintamarre de la salle à manger. En colère, Olga rentra dans le bureau. N'eût été de l'intervention de Stéphane, elle aurait subi les brutalités de la policière. Elle laissa son bourreau lui remettre son bâillon, non sans lui allonger quelques coups de pied. Olga sortit du bureau et frappa dans le mur avec son poing dans un geste de dépit.

9

Réunion de famille

À la suite de l'escarmouche avec son frère — escarmouche qui n'était ni la première ni la dernière, puisque régulièrement, Michel et Catherine trouvaient le moyen de se disputer par téléphone —, cette dernière décida de prendre les choses en mains. Même si Thierry manifestait maintenant de l'inquiétude, sa femme savait depuis toujours qu'elle ne pouvait compter sur son mari dans ces occasions-là. Dès qu'une situation tournait au drame, il paralysait et cherchait à fuir.

Elle téléphona à l'hôpital. Impossible d'obtenir le moindre renseignement, et encore moins de parler à sa mère.

Elle entraîna Thierry dans la chambre de Sébastien, ce qu'ils évitaient la plupart du temps, par respect pour l'intimité de leur fils.

Ils fouillèrent la pièce de fond en comble, dans l'espoir de trouver un indice dans ce capharnaüm qui rebutait toujours Catherine lorsqu'elle devait y passer l'aspirateur. Sébastien avait oublié son téléphone portable sur le lit. Thierry, qui connaissait le mot de passe, s'empressa d'écouter les messages sur la boîte vocale. Il y trouva ceux qu'il avait lui-même laissés quelques minutes auparavant. Parmi les numéros composés par Sébastien récemment, il trouva celui d'Édouard. Sans réfléchir davantage, ils quittèrent la maison.

***

Rue Beaubourg, tout était calme depuis l'arrivée des deux policières et de leurs prisonniers. Stéphane avait obéi aux ordres d'Olga et avait enfin éteint la télévision. Alex et Sébastien ne résistaient plus, attachés, voire soudés, au lourd buffet qui occupait tout un mur de la salle à manger.

Zig revint une heure plus tard.

— C'est formidable de répondre à mon invitation aussi rapidement, mon petit Sébastien.

— De quelle invitation parles-tu ? répondit Olga.

— Peu importe. De toute façon, c'est très intéressant de revoir notre ami ici. On va mettre fin à son contrat et, en même temps, on va faire peur à son grand-père qui...

Il n'eut pas le temps de terminer sa phrase. Un intrus ouvrait la porte d'entrée, ce qui inquiéta la policière au plus haut point. Zig était persuadé que seuls Édouard et sa femme pouvaient avoir les clés.

Le chef de bande, après s'être assuré qu'on ne pouvait voir ni Alex ni Sébastien, s'embusqua derrière la porte en enjoignant à ses complices de se cacher dans la cuisine.

Catherine et Thierry entrèrent sans faire de bruit et avancèrent jusqu'à la hauteur de la cuisine. Zig referma la porte avec fracas, au moment même où les deux policières sortaient de leur cachette, arme au poing.

En quelques secondes, Catherine et Thierry furent ligotés à leur tour et emmenés dans le salon adjacent à la salle à manger. Contrairement à son habitude, Catherine n'émit aucun son. Quant à Thierry, son regard balayait l'appartement dans l'espoir de trouver son fils, maintenant persuadé que sa femme avait eu raison de l'entraîner dans cet appartement.

On venait de les projeter sur le canapé lorsque Sébastien et Alex, à force de tirer sur le buffet, firent tomber un lourd chandelier en cuivre sur le plancher de bois. Le bruit résonna comme un coup de feu. Du coup, Thierry vit son fils. Il voulut se porter à son secours, mais il eut à subir la foudre d'Olga pendant que Zig retenait Catherine.

— On pourrait savoir ton nom, mon beau ? demanda la policière à Thierry sur un ton sarcastique.

— Je suis le père de Sébastien.

— Et elle, c'est sa mère, enchaîna Zig, sans se préoccuper de la réponse. On va donc avoir une très belle réunion de famille, poursuivit-il. Mais pourquoi êtes-vous ici ? Une balade dans le quartier et on est venu voir si l'appartement se portait bien ? Réponds ou je t'imprime tes belles petites lunettes d'intellectuel dans le front.

— Nous avons trouvé le portable de Sébastien. Il avait téléphoné ici.

— Compris, rétorqua Zig.

L'homme lança un regard meurtrier à

ses complices, puis leur reprocha d'avoir amené Sébastien et Alex ici au lieu d'être restés à l'appartement de la rue Vieille-du-Temple, comme convenu.

Mais il ne put s'en prendre aux policières comme il l'aurait voulu. De nouveau la porte s'ouvrait. Cette fois, il n'eut pas le temps de se cacher afin de surprendre les nouveaux arrivants. Il n'eut même pas le loisir de porter la main à son revolver, tout comme ses complices d'ailleurs. Ils restèrent là, au beau milieu du salon, l'air ahuri, sans vraiment comprendre ce qui leur arrivait.

Le tableau était frappant, c'est le moins que l'on puisse dire ! Comme Édouard l'avait planifié, à peu de choses près. Il se trouvait là, dans un fauteuil roulant, souriant, un léger bandage au front. À ses côtés, Alice s'amusait de la situation. Derrière eux, son fils Michel, calme, mais anxieux de retrouver sa fille Caroline. Deux policiers complétaient le tableau tandis que deux autres s'employaient à délivrer Caroline, Juliette, Sébastien, Alex, Catherine et Thierry. En quelques secondes Olga, Élise et Zig furent désarmés et menottés. Si Thierry n'avait pas été aussi nerveux, il aurait certainement eu l'idée de sortir son portable pour prendre une photo et immortaliser ce moment.

Édouard fut amené dans le salon, poussé par son fils qui semblait plutôt fier de son père. Celui-ci avait le même sentiment de fierté envers son aîné, lequel, en fin de compte, jouait un rôle dans une affaire policière, malgré lui cependant.

Caroline aurait bien aimé sauter sur les genoux de son grand-père, mais elle se retint, peut-être parce que ce personnage imposant, assis dans ce fauteuil roulant, ne ressemblait pas nécessairement à son papy ; l'homme toujours rieur ne manquait jamais l'occasion de faire une blague.

La porte d'entrée était toujours grande ouverte. De nombreux policiers entraient et sortaient. Un scénario de film. Un scénario dont Édouard était l'auteur. On discutait fort sur le palier, mais personne ne pouvait deviner ce qui se passait. Seuls les membres qui composaient ce tableau semblaient tout savoir. Un policier voulut fermer la porte, mais sur un signe d'Édouard, il se ravisa. Toute la famille était maintenant réunie dans le salon. Juliette s'était assise. Les autres restaient debout. Personne ne voulait s'asseoir près des malfaiteurs. Seule Alice avait regagné son fauteuil, et déjà, elle s'apprêtait à reprendre sa broderie, souriante, tout en considérant son mari.

10

L'énigme

Édouard de Grandmaison demanda à Caroline de le rejoindre. Elle s'empressa d'y aller, même si la situation l'intimidait grandement. Elle embrassa très fort son papy. Celui-ci lui fit un large sourire teinté de complicité, à tel point que son ventre retrouva ses bonnes habitudes et se mit à danser, même coincé dans cet étroit fauteuil. Caroline avança une chaise et s'installa tout près de son grand-père. Dès qu'elle fut assise, Édouard commença.

— Alors, mon cher Lanthier ! Zig, devrais-je dire... Est pris qui croyait prendre ? La preuve que la vengeance que l'on cultive sur plusieurs années finit toujours par nous perdre. Tu avais pourtant une brillante carrière devant toi. Tu conviendras avec moi qu'elle est maintenant terminée. La même chose pour vous, mesdames. Quant à toi, Stéphane, je pense qu'une réunion de famille t'attend en Belgique. Nous ferons en sorte que tu ne la rates pas...

Édouard ne prononça pas le nom de Sébastien qui, d'ailleurs, n'avait pas été embêté par les policiers. Il lui jeta cependant un regard qui en disait long.

— Donc, mon cher Lanthier, tu peux constater que je n'ai pas été terrassé par une crise cardiaque à la suite de la leçon que tes complices et toi m'avez servie. Juste quelques points de suture à la tête et un genou un peu raide. Pas facile de mettre un vieux policier comme moi hors de combat ! Nous te l'avons laissé croire cependant, histoire de gagner un peu de temps et de mieux réfléchir. Je dois toutefois m'excuser auprès de ma famille que j'ai dû plonger dans une grande inquiétude. Mais tu vois, cette petite correction était superflue. Elle nous a cependant mis sur ta piste, car ton énigme était vraiment conçue pour nous plonger dans le noir complet. Encore une fois, la vengeance est très mauvaise conseillère.

Les trois complices, assis sur le même canapé, ne réagissaient pas aux propos d'Édouard. Seuls leurs regards exprimaient une colère grandissante. Tous les membres de la famille s'abreuvaient des paroles d'Édouard. Dans leurs yeux, une fierté incommensurable. Alice, elle, avait effectivement commencé la broderie d'un grand lys, lequel serait posé un jour prochain au centre de l'immense table de la salle à manger.

— Revenons donc à cette énigme. Auparavant, je dois souligner le travail de Caroline et d'Alex, qui ont été sur tes traces, et ce, tout de suite après le vol dans cet appartement. Approche-toi, Alex. Nous allons dénouer cette intrigue ensemble pour monsieur Zig.

Un peu intimidé, Alex vint s'asseoir devant un imposant policier qui, lui, n'avait pas l'air de vouloir plaisanter.

— Donc, cette énigme. D'abord, le mot *poupée*. Si je commence par ce mot, c'est que Caroline et Alex se sont rendus au Musée de la poupée. Connaissant Caroline et Alex, et surtout, ayant été informé de leur récent exploit au Québec avec l'escouade 06, je savais par instinct qu'ils allaient tenter de résoudre cette charade. J'ai donc demandé au Service de police de les faire suivre pour les protéger. Effectivement, ils ont trouvé dans ce musée une scène impliquant une poupée de collection habillée en policier que j'avais donnée à l'institution. J'avais acheté cette poupée pour l'offrir à Caroline, mais c'était trop fragile. Quand j'ai voulu l'emballer, sa tête de porcelaine a malencontreusement frappé le bord de la boîte et s'est fêlée. Sur le conseil d'Alice, je l'ai remise au musée où elle a été restaurée et intégrée dans une scène, que je n'ai pas vue d'ailleurs. Grâce à leur visite à cet endroit, j'ai compris que ce vol n'était qu'un prétexte. C'est à moi qu'on en voulait. Surtout que Stéphane avait été vu près du bâtiment, alors que Caroline et Alex en sortaient. Pourtant, Stéphane devait s'envoler la veille pour la Belgique. Du beau travail de la part de Caroline et d'Alex, qui ont tout de suite su par quel mot commencer leur recherche.

Inutile de dire que les deux adolescents québécois étaient particulièrement fiers et qu'ils ne firent qu'acquiescer aux propos d'Édouard, d'un petit signe de la tête, sans ajouter quoi que ce soit. Ils furent cependant surpris d'apprendre qu'ils avaient été filés à leur insu. Caroline, la téméraire, en éprouvait une petite déception.

— Je dois ajouter que Caro m'avait envoyé un e-mail au sujet de cette poupée que j'avais offerte au musée. Il faut te dire, mon cher Zig, que quelques heures après le vol, tous les messages que je recevais étaient acheminés au quartier général, et plus tard, à l'hôpital, où la police avait installé un poste de contrôle. Pour un policier comme toi, je dois te dire que tu as travaillé en amateur. Encore une fois la vengeance... Le prochain mot : *Gastéropode*.

— J'avoue que celui-ci m'a donné un peu de fil à retordre. Ce n'est pas le genre de mots que j'emploie tous les jours !

Et là-dessus, il se mit à rire de bon cœur. Définitivement, son ventre s'acclimatait fort bien à l'inconfort du fauteuil roulant.

— Ton idée de répandre des escargots dans tout l'appartement m'a grandement aidé. Encore une fois, la vengeance t'a perdu. J'avoue cependant que ce mot m'a déstabilisé. Pourquoi répandre des escargots vivants ? Pourquoi Stéphane avait-il tant asticoté Caroline à l'aéroport à propos de son petit escargot de latex ? Quelle était la caractéristique de l'escargot, mis à part le fait que c'est une bestiole répugnante ? J'ai finalement compris en me rappelant la fois où Alice en avait mis à dégorger et qu'ils avaient trouvé le moyen de sortir de la casserole et de grimper aux murs avec une facilité et une vitesse étonnantes.

« J'ai pensé à ces hommes intrépides qui escaladent des édifices, qui s'y agrippent, faisant corps avec le bâtiment. Et je me suis rappelé que nous avions une escouade d'hommes-araignées très efficace à notre Service de police. Je t'ai déjà vu à l'œuvre, mon cher Zig, lors d'opérations policières vraiment délicates. Je me suis rappelé ta façon de t'agripper aux murs sans te servir ou presque de ton équipement. Je me suis souvenu aussi de ton initiation au Service de police. On t'avait alors obligé à manger des escargots, toi qui en avais horreur, comme moi d'ailleurs. »

Robert Lanthier ne bougeait pas. Il aurait pu contester les propos d'Édouard, demander la présence d'un avocat. Mais il restait figé, le regard beaucoup plus serein, comme s'il avait voulu connaître la fin de l'histoire. Quant aux autres membres du gang impliqués dans cette affaire, ils semblaient maintenant indifférents. Leur attitude impassible démontrait seulement qu'ils attendaient la fin du récit d'Édouard. Il était évident qu'ils avaient participé à cette opération de vengeance à contrecœur.

— Et si on parlait du mot *tampura*. Là, j'ai cru pendant plusieurs heures que ce mot était une sorte de leurre dans cette énigme. Il faut dire que je n'y connais rien en instruments de musique. Je savais, pour avoir accompagné Alice et ses sœurs dans un restaurant vietnamien, place de l'Horloge, que des musiciens, souvent habillés de blanc, jouaient d'un instrument bizarre à cet endroit, derrière le Centre Pompidou. Mais hier, Sébastien m'a laissé un message à la maison. Quelques mots. Ça disait que cet instrument était, en quelque sorte, une valise. Un double fond ou une double caisse. Il parlait aussi d'un chanteur derrière le Centre Pompidou. Cette information lui vaudra probablement la grâce de sa famille et des autorités. Je l'espère pour lui, et c'est aussi ce que je nous souhaite, car ce garçon n'était impliqué que depuis peu dans ce gang. Il a été manipulé. Et lui, n'a vu que l'occasion de se procurer une plus belle moto sans alerter ses parents. N'est-ce pas, Sébastien ? J'ai reçu aussi un appel de Caroline, elle affirmait être prisonnière de *Tampura*.

Sébastien ne broncha pas, effrayé à l'idée de supporter le regard de sa mère, de son père, de Caroline et de tous les autres membres de la famille.

— C'est d'ailleurs Sébastien qui a conduit Caroline sur la place, derrière le Centre Pompidou. Malheureusement, nos policiers ont perdu leurs traces au moment où Sébastien allait garer sa moto. Nous n'avions pas non plus pensé que Caroline laisserait Alex à Noisy. Je dois dire que les heures qui suivirent furent particulièrement pénibles pour Alice et pour moi ; nous étions au courant de toute l'opération depuis ses débuts. Inutile de vous l'avouer : ma femme a été à un cheveu de mettre fin à cette enquête pour sauver les enfants. J'approuvais sans réserve sa décision. Mais à cause de l'appel de Caroline, nous avons convenu, Alice et moi, d'attendre quelques heures avant d'alerter le reste de la famille et de laisser les policiers faire leur travail. Je ne te fatigue pas trop, mon cher Lanthier, avec mon récit ? De toute façon, reste bien éveillé, car je te réserve une belle surprise. Tôt le lendemain, nous avons reçu un appel téléphonique de Caroline. Juliette et elle étaient prisonnières ici même. Et le message se terminait par ton nom, Zig. Voilà ce qui t'a définitivement perdu, mon cher Lanthier. Zig. Zag. Pas très brillant d'avoir choisi le pseudonyme de Zig, mon cher. Je suis content d'avoir fait le rapprochement. Nous avions depuis quelques années un dossier au nom de Zag à la police, un amateur de l'escalade d'édifices, mais aussi soupçonné de divers délits. C'est donc ce Zag qui m'a amené à découvrir qui se cachait derrière le nom de Zig.

Lanthier présentait maintenant un visage aussi blanc que Stéphane, qui n'avait toujours pas pris le temps de se débarrasser de son déguisement.

— Nous savions donc que Caroline avait été enlevée, probablement par le chanteur de la place, face à l'escalator du Centre Pompidou. Nous savions aussi qu'elle était retenue prisonnière ici. D'instinct, Caroline avait éclairci tous les mots de l'énigme. Je me suis souvenu que, quelques années auparavant, Zig, tu avais mené une enquête qui n'avait pas eu de suite. J'avais couru derrière toi dans cet escalator à la recherche de voleurs présumés de passeports. Une fois dans la salle d'exposition, tu avais affirmé avoir vu le voleur s'échapper par une conduite d'aération. N'écoutant que ton courage, tu avais mis en application toutes tes connaissances d'homme-araignée afin d'attraper le ou les voleurs. Peine perdue. Si tu t'en souviens bien, une femme avait succombé aux blessures subies lors de son agression. Mais l'enquête s'est poursuivie à ton insu. À la police, on ne se contente pas d'une simple explication d'un agent, même s'il fait partie d'une escouade spécialisée. Nous avons finalement compris que tu avais tout simplement assuré la fuite de ton complice, ton ami Zag. Tu comprends, mon cher Lanthier ?

« Nous avons aussi reçu un appel d'Alex, disant qu'il partait avec Sébastien à la recherche de Caroline, retenue prisonnière. Tes acolytes, Olga et Élise, n'avaient pas à s'en prendre à Sébastien. Ce sont tes amies qui nous ont guidés vers l'appartement de la rue Vieille-du-Temple. Quelle mauvaise idée d'amener leurs prisonniers ici ! Erreur d'amateurs ! Après leur départ, nous avons fouillé l'appartement. Sans laisser de traces évidemment, car nous nous doutions que tu allais y passer. Tu ne t'es rendu compte de rien, mais tu étais sous surveillance. Nous avons trouvé dans l'appartement toute l'information qui nous manquait. Des instruments de musique, un tampura, des passeports, des cartes de crédit et une photo de notre ami Stéphane Gast, déguisé comme maintenant.

« Ce n'est pas prudent de laisser traîner des photos... Et ton numéro de portable oublié par un de tes collaborateurs insouciants... Ce qui explique le court message que tu as reçu sous le nom de code de la voiture de police d'Olga. Tu vois, tes complices ne sont pas responsables de tout le malheur qui te tombe dessus... Vraiment, tu as agi en amateur. Tu ne trouves pas, mon cher Lanthier ? Mais quelle belle réunion de famille ! Non ? »

Sébastien semblait de plus en plus sortir d'un cauchemar épouvantable. Sa mère s'était approchée de lui sans lui témoigner trop d'empressement cependant. Olga mitraillait Zig du regard. Si elle avait eu les mains libres, elle l'aurait sans doute étranglé devant tout le monde.

— Nous avons donc résolu l'énigme, mon cher. Mais cette énigme, tu l'avais conçue pour nous jeter dans un labyrinthe inextricable, duquel il aurait été impossible de sortir. Tu as voulu jouer au plus fin.

Maintenant, c'est à mon tour, amicalement, il va sans dire. Entre confrères policiers, n'est-ce pas ?

Le ventre d'Édouard se lança dans une danse exceptionnelle. Mais le policier à la retraite dut se contenir rapidement, car l'agent, à ses côtés, l'enjoignit de rester calme.

À peine quelques légers bruits. Un frôlement contre un mur. À la vitesse de l'éclair, le policier tourna le fauteuil d'Édouard vers la cuisine. D'autres membres des forces de l'ordre étaient déjà placés à des endroits stratégiques, l'arme au poing.

— Salut, mon cher Zag !

C'est de cette façon qu'Édouard accueillit Zag, le grand patron de Zig. Ahuri, l'intrus se tenait dans l'encadrement de la porte de la cuisine, ne sachant trop comment réagir. Il était piégé.

— Vous êtes le bienvenu à cette réunion de famille, mon cher Zag. Vous conviendrez avec moi que nous vous avons facilité les choses, cette fois-ci. La fenêtre de la cuisine ouverte... Personne à l'étage du dessous... Mais je vois que vous avez quand même quelques pièces d'équipement... Une certaine appréhension ? Ce n'est pourtant pas ce que vous apprenez à vos élèves... L'escargot... Faire corps avec un mur... Vous n'avez pas pris autant de précautions quand vous êtes entré dans la chambre d'hôtel de mon ami, le père de Stéphane, hier soir, pour lui servir une leçon, et ce, parce que je l'avais invité à venir récupérer son fils. C'est lui qui a pris ma place à l'hôpital. Heureusement, il s'en sortira. Mais vous, si je pouvais me lever de ce fauteuil, et s'il n'y avait pas de policiers ici, je me ferais un plaisir de vous expédier sur une civière.

De nouveau, le policier près d'Édouard lui précisa qu'il devait calmer ses ardeurs. Des larmes avaient creusé des sillons sur les joues blanches de Stéphane.

— Merci tout de même d'avoir répondu aussi rapidement à notre appel. Zig peut être fier de la fidélité de son associé. Et notre petite incursion dans votre appartement, rue Vieille-du-Temple, nous a permis de trouver les coupables de cette entreprise de vols de passeports et de cartes de crédit, qui œuvrait en France et en Belgique. Excellente idée de cacher les passeports dans un instrument de musique, le temps de les trafiquer pour ensuite les remettre sur le marché. Mauvaise idée, cependant, de laisser son comparse assouvir sa vengeance contre un policier... Vous pouvez procéder, commissaire.

— Monsieur Fred Kotioupoff, alias Zag, vous êtes accusé de meurtre, de tentative de meurtre, de vol, de recel, de participation à une organisation terroriste et de complot visant à neutraliser la police de France.

« Monsieur Robert Lanthier, alias Zig, vous êtes accusé de vol, d'agression armée, d'usurpation de vos pouvoirs comme policier et de participation à un gang terroriste.

« Sergent Olga Sabatier, vous êtes accusée de participation à un vol qualifié, de recel, d'enlèvement, d'agression armée et d'usurpation de vos pouvoirs comme policière.

« Agent Élise Boismenue, vous êtes accusée de recel, d'enlèvement, d'agression armée et de participation à un gang terroriste.

« Monsieur Stéphane Gast, vous êtes accusé de vol, de recel, d'enlèvement et d'agression armée.

« Monsieur Sébastien Arel, vous êtes... »
Édouard l'interrompit.

— Tout le monde a compris ici que Sébastien nous a fourni des informations essentielles dans la conduite de cette enquête. N'est-ce pas, mon cher commissaire ?

— Effectivement. Pour les autres, compte tenu de ces accusations, la loi prévoit que vous pouvez faire appel à vos avocats et ne rien déclarer sans leur présence. D'ici là, vous serez sous surveillance à nos bureaux.

En un rien de temps, les accusés furent évacués et encadrés par plusieurs policiers.

Édouard les regarda défiler et il ne put empêcher son ventre, qui visiblement reprenait toute son élasticité, de se lancer dans une danse à la mesure de son sourire.

— Place à la fête ! s'exclama tante Juliette.

11

La vraie réunion
de famille

Les policiers étaient à peine partis avec leurs nouveaux pensionnaires, que déjà la fête battait son plein chez les de Grandmaison. Alice continuait cependant son grand lys. Elle en avait vu d'autres avec son policier de mari. Mais à ce rythme, elle aurait terminé son centre de table avant la fin de la veillée.

Catherine avait retrouvé son fils, qui lui, était particulièrement penaud. Compréhensible, puisqu'il ignorait la suite des événements le concernant. Thierry avait suivi les policiers. Pourquoi, nul ne le savait.

Michel de Grandmaison n'avait d'yeux que pour sa fille.

Édouard de Grandmaison s'était assis au centre du salon. Et il parlait... Et il blaguait... Comme s'il avait retrouvé le besoin de voir son ventre danser, tressauter de joie et de fierté. Sa dernière enquête ! Dernière enquête dont il devait en grande partie la résolution à sa petite-fille et à son ami Alex. De jeunes policiers téméraires et fonceurs, comme il avait été lui-même toute sa vie ! Voilà ce qu'il pensait en les regardant tous les deux. Il était aussi reconnaissant à Sébastien, malgré l'inconscience dont il avait fait preuve.

Michel de Grandmaison s'était rapproché de sa sœur Catherine. Leurs regards disaient « Évitons de nous disputer lors du prochain coup de téléphone... »

Cette fête, qui n'en était pas une, tellement chaque participant ressentait encore les effets de l'angoisse des dernières heures, prit son envol lorsque Thierry revint avec des plateaux remplis d'escargots à l'ail.

Des éclats de rire fusèrent de partout. Thierry tenait sûrement à ce que ce drame se termine de cette façon. Il aimait bien voir le ventre d'Édouard danser. Il était surtout heureux de ne pas avoir perdu son fils de façon définitive. Et il admirait beaucoup

Caroline et Alex qui, par témérité peut-être, les avaient tous conduits vers l'amour. Du moins, il se sentait maintenant aimé, moins seul avec son drame intérieur.

Michel de Grandmaison s'était rapproché de sa fille et d'Alex. Mais il restait tout de même en retrait. Le regard plongé dans celui d'Alex, Caroline déposa le petit escargot de latex sur sa main.

— Un escargot sur la main, dit-il...

TABLE DES MATIÈRES

Gilles Gemme

Conseiller pédagogique en français et
en arts durant plus de vingt-cinq ans, Gilles
Gemme a été coauteur du programme de
français, paru en 1980, pour les écoles
secondaires du Québec. Il a aussi donné de
nombreux ateliers portant sur la pédagogie
du français, la lecture et l'écriture.
Convaincu de la complémentarité des diffé-
rentes formes d'art, il a toujours consacré
une partie de son temps à la mise en scène.

Gilles Gemme a publié deux romans pour
adultes ainsi que le premier titre de la série
Escouade 06, s'adressant autant aux jeunes
qu'aux adultes qui aiment le suspense.
Un escargot sur la main est le deuxième
titre de cette série.

Sarah Chamaillard

Bonjour ! C'est moi l'illustratrice de la page couverture de ce roman passionnant. J'illustre de plus en plus pour les auteurs de Phoenix et le jeu vidéo.

Je vous souhaite une bonne lecture !

Sources Mixtes
Groupe de produits issu de forêts bien
gérées et de bois ou fibres recyclés.
www.fsc.org Cert no. SGS-COC-2624
© 1996 Forest Stewardship Council

Achevé d'imprimer
en avril deux mille neuf, sur les presses
de l'imprimerie Gauvin, Gatineau, Québec